Tacos altos

Federico Jeanmaire

Tacos altos

EDITORIAL ANAGRAMA

BARCELONA

Ilustración: foto © Thomas Dworzak / Magnum Photos

Primera edición: marzo 2016

Diseño de la colección: Julio Vivas y Estudio A

© Federico Jeanmaire, 2016
by arrangement with Literarische Agentur Metin Inh. Nicole Witt e. k.,
Frankfurt am Main, Germany

© EDITORIAL ANAGRAMA, S. A., 2016
Pedró de la Creu, 58
08034 Barcelona

ISBN: 978-84-339-9809-5
Depósito Legal: B. 2439-2016

Printed in Spain

Reinbook Imprès, sl, Passeig Sanllehy, 23
08213 Polinyà

El cielo y la tierra están conmocionados; el escenario, confuso.

MO YAN, *Sorgo rojo*

Suzhou

Me cuesta el pasado. Y me cuesta el futuro, también. Soy china, me defiendo siempre. Pero la profesora de castellano se enoja igual conmigo y entonces le pone una calificación a mi prueba que no es buena.

¿Soy china?

No sé.

Ahora no importa.

De cualquier manera, sospecho que hay un momento de la vida en el que cada hombre o cada mujer descubren quiénes son. Lo saben. De repente. Frente a una instancia crucial o frente a un hecho insignificante, da lo mismo.

Mi padre lo sabe.

Por supuesto que lo sabe.

Estoy convencida de que lo sabe. Pero cuándo, en qué instante, eso en verdad no lo sé. Puede ser

11

durante aquel larguísimo último día de calor en Glew o puede ocurrir muchísimos años antes. Yo, en cambio, todavía no sé quién soy.

Y, por no saber, ni siquiera sé si es que ya me convierto en una mujer o aún me falta un poco de tiempo, como repite cada vez que tiene oportunidad mi abuelo paterno.

Tampoco importa.

Más tarde o más temprano termino por ser esa mujer que anuncia, como una cuestión más o menos inminente, mi abuelo paterno. Cuentan los ancianos que hasta algunas raíces de ginseng se convierten un buen día en mujeres, ¿por qué no lo voy a hacer yo, entonces?

Y enseguida después de convertirme en mujer, espero, descubro quién soy.

Realmente quién soy.

Ahora, no me importa. Ni lo de ser mujer ni lo de saber quién soy. Ahora mismo, aunque me cueste el pasado y me cueste el futuro y, algunas veces, también los géneros y la diferencia entre el plural y el singular, lo único que pretendo es escribir en castellano, para no olvidar, acerca de la plaza de allá. La plaza de Glew.

Un lugar horrible y sucio, la plaza de Glew. Tan horrible y tan sucio como la angosta calle de aquí en la que mi abuelo paterno, cada mañana, vende sus ranas y sus sapos y sus culebras. Es enorme. Casi un parque. Y está ubicada justo enfrente del supermercado de mi padre. Por eso, claro, el supermercado se llama La Plaza. Tiene muchos árboles. Distribuidos en hileras a lo largo de sus lados. Un montón. También hay más árboles en su interior, aunque no tantos. Sin embargo, no son lindos. O, al menos, no quedan lindos ahí donde están. Sucios, envejecidos, gastados. Parecen estar plantados allí por obligación. La típica obligación de un oscuro funcionario al que le encomiendan una determinada superficie de terreno para diseñar una plaza y supone que una plaza no es una verdadera plaza si no se desparraman unos cuantos árboles por ahí. Y bancos, por supuesto. El tipo también desparrama bancos. Para que la gente que habita en ese barrio, cerca de esa plaza, se siente en verano a la sombra de esos árboles. Muy feos los bancos. De cemento, sin ninguna gracia. Paso muchas horas de mi vida observando la fealdad de esa plaza. Incontables horas. Cada vez que no hay clientes o cada vez que mis padres pelean a los gritos. Me siento en la puerta del supermercado sobre un cajón de maderas y la miro. Lo feo no siempre es aburrido: la calle de aquí, donde mi abuelo apoya al amanecer, cada día, sus tres palanganas de plástico repletas de bichos, es fea y es sucia pero no es aburrida. Todo lo contrario. La fealdad de la plaza de Glew, en cambio, es insoportablemente aburrida. De todos modos, debo reconocer que, en gran parte, mi vida transcurre observándola sentada sobre la escasa comodidad de un cajón de maderas.

¿Hay sapos en esa plaza?

¿Hay ranas?

¿Hay culebras?

No lo sé.

Nunca veo nada que no sean los árboles y los bancos y el poco pasto seco y los yuyos que nacen en cualquier lado. No. Miento. No nacen en cualquier lado. Por lo general, los yuyos viven justo debajo del cemento de los bancos. Jamás cerca de los árboles. Sospecho que si hay sapos o ranas o culebras, los tengo que ver desde mi cajón de maderas. No hay demasiados lugares en donde los animalitos puedan esconderse. Por no haber, ni siquiera hay pasto en la mayor parte de la plaza.

La fealdad es triste.

Y yo me propongo no mentir. No aquí, al menos, en estas páginas.

Sentarme a mirar la plaza de Glew me entristece. A veces, hasta se me caen algunas lágrimas. Y nada tiene que ver con el hecho de que no haya clientes en el supermercado o que mis padres estén gritándose a unos pocos metros de mi sitio de observación. Nada. Se me caen las lágrimas por la plaza y por mí. O mejor, por los sitios o las cosas que pudiendo ser bellas no lo son por culpa de la desidia o del apuro o de la ausencia de ganas en los seres humanos que tienen la posibilidad de hacer de un sitio o de una cosa algo bello y deciden no hacerlo.

Mis abuelos paternos se mudan a Suzhou al día siguiente de casarse. Nacen en una pequeña aldea, a unos cuantos kilómetros al noroeste de Xian. Se descubren el uno al otro cosechando arroz y sus respectivos padres conciertan el matrimonio. Pero no lo conciertan de inmediato, me aclara Lin Shi. Tardan. Lo hacen recién después de interminables discusiones. Los problemas entre ellos no surgen de diferencias de clase, ambas familias son campesinas y se conocen desde siempre; los problemas se originan en la firme determinación de mi abuelo de mudarse hacia el este. Lin An Bo no desea quedarse en donde vive ahora su familia y mueren antes, durante siglos, buena parte de sus antepasados. Algunos años antes de ese momento, mi abuelo paterno ve fotos en una revista y se enamora de los canales y del lago de Suzhou. No se imagina la vida en otro sitio que no sea Suzhou. Además, claro, de que su nombre, An Bo, en mandarín significa «Ola Pacífica», un nombre que, a su criterio, lo marca inexorablemente desde su mismísimo nacimiento para andar sobre el agua tranquila de los canales de Suzhou.

Es una época de mudanza.

Todavía vive Mao.

Y todavía vive su revolución cultural.

Por eso, a regañadientes, es que los padres de mi abuela paterna terminan por aceptar la firme decisión de Lin An Bo. De no hacerlo, hasta pueden ser acusados de contrarrevolucionarios. Y eso no es bueno. La aldea es pequeña y los comentarios llegan muy rápido a los oídos adonde no deben llegar. Son tiempos de políticas drásticas, de muerte fácil, también.

Recién casados, entonces, mis abuelos paternos se instalan en Suzhou. Aunque bastante lejos de los canales o del lago Taihu. En uno de esos enormes edificios, de varios pisos, que poco antes comienzan a construirse en las afueras de las ciudades. El mismo edificio en el que más tarde nace mi padre, en el que continúan viviendo ellos y en el que, ahora mismo, también vivo yo.

Un edificio muy parecido al que habitamos con mis padres en Glew. Monoblock, le dicen allá.

Mi abuelo paterno cuenta que lo de las ranas, los sapos y las culebras se le ocurre apenas darse cuenta de que deja su familia y su aldea y su pasado a partir del sueño de vivir cerca de los canales o del lago de Suzhou y casi nunca logra verlos por culpa de que su rutina lo lleva desde el monoblock a la fábrica de calzados donde trabaja y viceversa. Bastante lejos del agua y de los barcos. Sólo los días libres pueden ir a pasear con mi abuela por allí. Muy poco. Sobre todo porque sus días libres jamás coinciden con los días de que dispone ella: mi abuela consigue un empleo en un telar industrial. Encima, casi enseguida y para complicar todavía más el asunto de los paseos por los canales, nace mi padre, Lin Jang Xian.

Lin An Bo no quiere que escriba sentada sobre el revés de una de las palanganas que no utiliza, a orillas del Gran Canal. No le gusta. Se enoja. Grita que no es el lugar ni el modo ni la tarea apropiados para una niña. Agrega que aquí es invierno, que hace demasiado frío como para que yo me quede tantas horas sentada junto al canal. Tiene temor, creo. De aquello que no entiende. De aquello que no puede manejar.

Es un hombre, mi abuelo paterno.

Y, contra eso, nada puedo hacer.

Entonces, como no puedo hacer nada, continúo escribiendo sin parar aunque haga frío. Sin escucharlo. Sonriéndole cada vez que me doy cuenta de que está mirando. Soy una casi mujer, según sus propias palabras. Y contra eso, lamentablemente, tampoco él puede hacer nada.

Pobre An Bo.

Le repito que no quiero olvidar el castellano; que pretendo, dentro de algún tiempo, trabajar como guía turística, que pagan muy bien por ello y que casi no hay en Suzhou personas que hablen bien el castellano, que ya me anoto, incluso, en la empresa regional de turismo y en varios hoteles de cinco estrellas; que gracias a que escribo en castellano sobre el revés de una de sus palanganas inútiles, él va a pasar, en el futuro, una vejez mucho mejor, sin necesidades; que me deje escribir, que necesito un poco más de tiempo, que hasta puedo comprarle, más adelante, una linda casa con vista a los canales o con vista al Taihu.

Pobre An Bo.

No cree una sola palabra de lo que le digo. Me tiene miedo. Y, quizás, hasta tenga razón en tenerme un poco de miedo. De vuelta hacia la marina más cercana al monoblock en donde habitamos, mientras rema de espaldas delante de mí, asegura a media voz que lo que siempre es antes, siempre es después. Las ranas y los sapos y las culebras, por ejemplo. Pero aquello que no es antes, que sólo es ahora, no es para siempre. No me cuesta comprenderlo: se refiere a los turistas, claro, aunque no lo explicite. Yo no le contesto. Prefiero callar. A los hombres que conozco no les gusta que las niñas, o las casi mujeres, se atrevan a contradecirlos.

Vuelvo a leer lo que escribo desde que me siento sobre el revés de la palangana a orillas del Gran Canal. No creo que los tiempos verbales con que uno escribe lo que tiene que escribir sean tan importantes como asegura la profesora de castellano a los gritos en medio de la clase. Todo ocurre. Todo queda claro igual. Sin inconvenientes. Ella no tiene razón. Aunque soy china, mis calificaciones tienen que ser bastante mejores de lo que son al final del segundo año de mi escuela secundaria.

Me parece.

Me llamo Su Nuam.

Su tiene que ver con el respeto. Pero también tiene que ver con el llano, con la llanura. Y Nuam, en castellano, puede traducirse como genial o caliente o ardiente.

Lin Su Nuam.

Llanura ardiente.

Ésa soy yo. La única hija de mi padre y de mi madre.

Su Nuam.

Aunque allá, en el pasado, por los alrededores de la plaza de Glew, los clientes del supermercado y los compañeros de la escuela me llaman Sonia. Resulta más fácil, más sencillo. Aferrarse a lo que ya se conoce parece ser la manera que tienen muchos seres humanos de asimilar aquello que les resulta completamente desconocido. También lo hago yo, supongo, con el bendito asunto de los tiempos verbales.

Sonia Lin, allá. O acá, Lin Su Nuam.

Yo.

La misma.

No recuerdo sentarme jamás en uno de los bancos de cemento de la plaza de Glew. En el fondo, sospecho que permanecer en ella durante algún tiempo me hace formar parte de su fealdad. Irremediablemente. Y no quiero eso. Por nada del mundo quiero eso. Claro que ahora que le doy una y otra vez vueltas al asunto, a orillas del Gran Canal, al final de la calle del mercado, en Suzhou, sobre una de las palanganas plásticas de mi abuelo paterno, la visión que puedo tener desde uno de los bancos de cemento no es mejor que la que tengo desde el cajón de maderas. Debido a los posibles robos o a los posibles saqueos, el galpón chato que hace las veces de supermercado tiene dos enrejados y dos portones de chapa que pueden cerrarse con facilidad ante el menor atisbo de problemas en las cercanías.

Muy feo el conjunto.

Tanto o más que la plaza.

Y encima, cuando finalmente llega el momento definitivo, las rejas y los gruesos portones de chapa demuestran su perfecta incapacidad para salvar fácilmente nada.

Aquella mañana de calor sofocante, tan distinta a las mañanas heladas de Suzhou, mi padre se despierta, como casi todos los días, entre las cajas del depósito de mercaderías que ocupa la parte trasera del local. Lin Jang Xian duerme allí, casi nunca duerme con nosotras, con mi madre y conmigo, en el monoblock. Para cuidar el negocio. Dice. Para que a nadie se le ocurra robarle

25

lo que es suyo. Avisa. Ahí tiene su colchón y tiene su almohada y tiene sus sábanas. También, por supuesto, tiene a mano su pistola calibre veintidós.

La calle angosta del mercado no es aburrida por el ruido. Siempre repleta de mujeres y de hombres yendo y viniendo de un puesto hacia el otro, hablando sin parar, jugando a las cartas, gritándose los unos a los otros aunque estén tan cerca, haciéndose bromas, peleándose, pidiéndose rebajas y más rebajas en los precios de las mercaderías, mintiéndose.

El ruido no es aburrido en Suzhou. Es un ruido humano. Tan distinto al silencio de la plaza de Glew. Un ruido constante, imparable. Monótono y diverso, si cabe la contradicción. Muy similar al ruido desigual del motor de los lanchones que transitan por el Gran Canal, justo enfrente de la palangana de plástico y de mi cuaderno.

Me gusta imaginar que mi escritura en este cuaderno se parece a un rumor monótono: la mezcla imprecisa entre el ruido del motor de los lanchones que surcan el Gran Canal, aquí en Suzhou, y la ausencia absoluta de ruidos de allá, en la aburrida plaza de Glew.

La noche anterior a aquel caluroso día de principios de diciembre del año pasado, año de la serpiente, mi padre duerme muy bien. Profundo. Como lo hace siempre. Ayudado apenas por alguna copa de vino tinto. Le gusta el vino tinto a mi padre. Una, dos, tres copas o una botella entera antes de dormir. No lo sé. No sé la cantidad de vino que toma. Ni esa noche ni ninguna otra. Me resulta del todo imposible saberlo con exactitud, yo duermo con mi madre en el monoblock, a varias cuadras de distancia del supermercado y de la plaza. Lin Jang Xian sólo repite que le gusta el vino tinto y que ese gusto, ese mínimo placer nocturno previo, lo desliza con dulzura hacia la profundidad del sueño.

Mi padre duerme toda la noche, aquella noche.

Y, quizás, hasta sueña algo lindo.

A veces me cuenta de sus sueños. En especial, recuerdo uno. En el sueño que recuerdo, Lin An Bo llega en su bote hasta la puerta misma del supermercado y le ofrece a mi padre sus ranas y sus culebras y sus sapos, le asegura que tiene su mercadería muy barata, a buen precio, que le compre, que no deje escapar la oportunidad, que por favor, que de esa manera lo va a ayudar y entonces él puede comprar una hermosa lancha con motor para llegar desde Suzhou hasta Glew más rápido, que se cansa mucho remando, que ya no tiene edad para hacer semejante travesía en bote. Mi padre se ríe a carcajadas mientras me cuenta aquel sueño. Lo recuerdo perfectamente. Estamos en el depósito y se ríe con toda la cara, con los ojos brillantes, sin ninguna vergüenza, a los gritos. Se ríe como Lin Jang Xian suele reírse las pocas veces que tiene verdaderas ganas de reírse.

Ojalá mi padre también sueñe algo lindo durante aquella noche, su última noche en Glew. Aunque no tengo manera de saberlo.

Anteayer, mi madre me envía por correo, desde Beijing, un celular último modelo. Para que podamos hablar. Igual, nunca lo traigo al mercado. ¿Para qué llevarlo conmigo si no tengo amigos? Aquí, y a pesar del frío, la gente habla continuamente con sus celulares, todo el tiempo, entonces, si lo traigo conmigo, se van a dar cuenta de que no tengo amigos. Y no quiero que se den cuenta.

Allá en Glew los tengo.

Muchos.

Casi todos mis compañeros de la escuela más un par de muchachos que habitan en la casa que está justo al lado del supermercado. Mi padre no quiere que me junte con los vecinos. No le gustan. Le parecen mala gente. Con mis compañeros sí, con ellos no. A mí me caen bien, tienen tantos o más problemas que yo con el idioma castellano, así que de todas maneras sigo viéndolos. Para pasar el rato. Para no estar sola. O para no ponerme triste de tanto mirar hacia la plaza. Sin embargo, me equivoco. Mi padre tiene razón, ellos no son amigos. Son malos. Lo dice el tiempo, después.

Apenas llegar, mi madre se va a vivir con su familia a Beijing y me deja a mí con los abuelos paternos. Su única explicación es que acá las cosas son así: las hijas con sus padres o, en mi caso, con sus abuelos paternos. ¿Para qué quiere, ahora, que hablemos por teléfono? ¿Acaso hablar unos minutos por teléfono, cada tanto, también es parte de como son las cosas acá? Tengo que preguntárselo la próxima vez que hablemos. Interrumpirla mientras me dice que en Beijing no para de nevar. Es importante. No tengo que olvidarme de preguntarle.

Mi padre se despierta muy temprano aquella mañana. Como es costumbre. Se levanta, prepara su té de hierbas, barre el piso, pasa un trapo húmedo por los pasillos del local, entre las góndolas, repone algunos productos faltantes, ordena las facturas de los proveedores que se acumulan a un costado de la caja desde el día anterior, hace algunas cuentas rápidas, planea las compras para ese día, se toma un segundo y último té de hierbas y recién después, apenas escucha que la señora boliviana que atiende la verdulería está esperando afuera, abre de par en par el enrejado y los gruesos portones de la entrada al supermercado.

Son las ocho.

O las ocho y cuarto, no más.

Además de la boliviana, afuera hay dos mujeres esperando para hacer sus compras matinales. Un buen augurio, según Lin Jang Xian. El calor ya es sofocante a tan temprana hora. Eso, muy por el contrario, no constituye ningún buen augurio, más bien resulta la norma de los últimos días: en algún momento de la tarde, o de la noche, seguramente se interrumpe el suministro de la luz y, si el corte se extiende demasiado en el tiempo, se pierden buena parte de los lácteos y hay que tirarlos a la basura. Todo a pérdida.

Un mal presagio, tanto calor.

Sin embargo.

Mi padre es un optimista. Un fanático del optimismo. Una de esas personas que atienden con bastante más facilidad a los avisos de la suerte que a los avisos de la mala suerte. Ve a las dos mujeres allí paradas con sus bolsas pero no siente el calor. No se detiene ni un solo segundo a pensar en el calor que hace ya a las ocho o a las ocho y cuarto de la mañana.

Así es Lin Jang Xian.

Ayer hago una nueva recorrida. Primero voy a la oficina regional de turismo y luego visito cada uno de los hoteles de cinco estrellas en los que unos días atrás presento mi solicitud de empleo. Les dejo mi número de teléfono, ahora que lo tengo. Para que me llamen en caso de que se produzca alguna vacante imprevista.

También me llama mi madre, por la noche.

Me pregunta cómo me va, qué es lo que estoy haciendo con mi vida, si ya trabajo, si voy a estudiar durante estos meses vacíos en los que no puedo ir a la escuela, si conozco gente. Le respondo que estoy escribiendo. No, no, se enoja desde el otro lado de la línea, me refiero a qué estás haciendo. Estoy escribiendo, le repito: en castellano, para no olvidar el idioma. No le alcanza, dice que eso es nada. Entonces, como evidentemente no le alcanza con la escritura y el recuerdo del castellano, me apuro a informarle que acompaño todos los días al mercado a mi abuelo paterno, que lo ayudo a cargar y a descargar sus palanganas repletas de animalitos, que a veces me deja a cargo del puesto, que además, días atrás, me anoto en la oficina regional de turismo y en los mejores hoteles de la ciudad, que quiero conseguir trabajo como guía o como traductora para los turistas que visitan la ciudad. Le miento un poco, también: le aseguro que en los próximos días voy a ir hasta el edificio de la escuela que está cerca del monoblock en el que vivimos para averiguar en qué fecha debo inscribirme, que quiero seguir estudiando, que tengo muchas ganas de terminar el secundario para después poder concurrir a la universidad.

Esta última parte de mis dichos le parece bien.

Está de acuerdo conmigo y con mis mentiras.

Y entonces se tranquiliza.

Acerca de lo que ella hace en Beijing o deja de hacer, en cambio, no me cuenta absolutamente nada. A pesar, claro, de mis varias preguntas al respecto. Sólo repite que en Beijing hace bastante más frío que en Suzhou.

Mi madre nunca me cuenta nada de lo que le pasa.

Absolutamente nada.

Se ve que no tiene ninguna necesidad de hacerlo. Sólo parece tener necesidad de saber acerca de mis asuntos y no se le ocurre que esa necesidad pueda ser recíproca. No es una persona optimista como es mi padre. Tampoco es que el temor la paralice o la ausencia de deseos la detenga. No. Es así antes y es así ahora, mi madre. Una especie de contrapeso imprescindible frente a las ganas o al optimismo de aquellos que la rodean. Antes, también Lin Jang Xian. Ahora, lamentablemente sólo yo.

Una de las clientas que espera afuera del local a que mi padre abra los portones aquella mañana, la de más edad de las dos, minutos después y mientras le compra alguna verdura o alguna fruta o ambas cosas a la boliviana, cuenta con lujo de detalles que la noche anterior escucha comentarios acerca de la posibilidad de que durante ese día saqueen el supermercado. Agrega que ésa es la razón de que vaya tan temprano a hacer las compras. Tiene miedo de que los saqueadores no le permitan hacerlo más tarde. Además, por supuesto, de asegurar que a ella le gusta pagar por lo que come, que no es ninguna ladrona, que aunque no le sobra el dinero, ella es muy digna, que este país está muy mal, que Dios nos deja solos frente a la delincuencia, que estamos perdidos como sociedad.

Mi padre la escucha.

Comprende lo que dice.

Y enseguida también escucha y comprende a la boliviana y sus muchos temores. La mujer está nerviosa. Habla mirando hacia el piso, en un tono muy bajo, casi incomprensible. Pero habla, la boliviana, no para de hablar sobre el asunto. No sabe qué hacer. Tiene ganas de cerrar el puesto pero, al mismo tiempo, se da cuenta de que, si cierra, buena parte de su mercadería se pone fea y ya no sirve para el día de mañana. Muchos pesos que se pierden. Mucho trabajo inútil de su marido y de su familia en la huerta.

Mi padre la tranquiliza.

Con sus medias palabras.

Le pide que no haga caso, que sólo se trata de rumores, que ellos trabajan, que ellos necesitan trabajar para vivir, que la señora clienta exagera, que no va a ocurrir nada, que él está ahí con ella para defenderla, que no tema.

Los tiempos verbales no son importantes. Antes puede ser, lo acepto, pero ahora no. Si algún día la tengo enfrente, cara a cara, a mi profesora de castellano, se lo digo con todas las letras. Aunque es difícil que eso ocurra, Suzhou queda demasiado lejos de Glew. Justo del otro lado del mundo. ¿Qué puede venir a hacer aquí una profesora de castellano que no conoce el chino? Nunca voy a volver a verla. Me lo pierdo. Sin embargo, si por milagro llega a suceder que venga de visita, me acerco a ella, la saludo, le recuerdo que soy Sonia Lin, su alumna de segundo año, la invito a que se siente acá, a mi lado, en otra cualquiera de las palanganas vacías de mi abuelo paterno, y le pido que por favor me permita explicarle lo que pienso acerca de la inutilidad de los tiempos verbales.

Lo que pienso ahora.

Antes, no.

Antes estoy convencida de que ella tiene razón y de que yo debo esforzarme bastante más de lo que lo hago para utilizarlos correctamente. Antes estoy convencida de que tengo que intentar ser un poco menos china y convertirme, por fin, en una chica de Glew, en una chica como las demás chicas de Glew.

Pasan cosas, profesora.

Y esas cosas que pasan, nos modifican para siempre.

Modifican lo que pienso, incluso, acerca de esas cosas que pasan. Y de otras más. La importancia o no de los tiempos verbales, por ejemplo. Resulta evidente que no le permiten a la gente comunicarse más o mejor que la ausencia de esos mismos tiempos verbales. Ni respetarse más. Ni tampoco amarse más o mejor. Y si no sirven para eso, ¿para qué sirven? Imagino que los hombres y las mujeres, en el pasado remoto, inventan la lengua para conversar o para ayudarse entre sí o para decir todo aquello que no pueden hacer sin hablar. O para acompañarse, para no estar tan solos. No creo, señora profesora, que los hombres y las mujeres en el pasado remoto del mundo inventen la lengua para matarse los unos a los otros, eso lo pueden hacer desde antes, desde siempre, sin necesidad de conversar.

Entonces.

No me importan los tiempos verbales, señora profesora. No sirven para nada. Matan igual que su ausencia. Exactamente igual.

En un momento, justo cuando estoy poniéndole el punto final a mis estúpidas reflexiones sobre los tiempos verbales, Lin An Bo se acerca hasta mí, me sacude el hombro con su mano derecha, me acomoda un poco la bufanda en el cuello y me pregunta si estoy bien. Le respondo que sí, que a pesar del frío estoy muy bien, que me gusta mucho escribir mientras miro pasar los lanchones por el Gran Canal, que me encanta. No parece que mires nada, me dice. Ni tampoco que escuches. Hace tiempo que estoy gritándote, un señor te busca en el puesto, desea hablar con vos.

Recuerdo en ese momento que ayer por la tarde, al rato de llegar al monoblock, me llama un señor muy amable al celular y me pregunta dónde puede encontrarme al día siguiente, me explica que es para conversar sobre un posible trabajo.

Ahora lo recuerdo. Antes, no.

Entonces voy.

El señor está muy bien vestido, de traje y corbata. Parece muy serio. Mi abuelo paterno me deja a solas con él. Es raro que me deje a solas con un hombre que desconoce. Me extraña mucho su actitud. De inmediato, el señor se da cuenta de mi mucha extrañeza y me pide que no me preocupe. Me avisa que acaba de convenir esa soledad con mi abuelo, que mi abuelo sabe las razones, que necesita hablar unos pocos minutos a solas conmigo, conocerme, descubrir si estoy o no preparada para la tarea que, quizá, va a ofrecerme.

Me pongo nerviosa.

Muy.

Trato de que no se me note demasiado. Pero se me nota, lo sé. Entonces el señor se apura a preguntarme cuántos años tengo y si hablo tan bien el castellano como afirmo en la solicitud que dejo hace unos días en la oficina regional de turismo. Le respondo que tengo quince años. Y enseguida agrego que sí, que paso los últimos diez años en Glew, que voy a la escuela argentina durante todos esos años, que vuelvo a la China apenas tres meses atrás, que no me olvido del castellano, que lo hablo perfectamente. No le digo nada acerca de mis dificultades para conjugar los tiempos verbales,

40

no me parece que sea necesario ni bueno para mis intereses laborales. Le digo todo eso de un tirón y ya no estoy tan nerviosa como antes. El señor se da cuenta. Entonces se ríe. Y me pregunta si me gusta Suzhou, si me gusta estar de vuelta en China. Le respondo que sí, que me gustan los canales y los barcos y también me gusta volver a compartir la vida con mis abuelos, que lo que menos me gusta es el frío que hace.

Me doy cuenta de que le parece bien lo que le respondo.

Lo noto en el brillo de sus ojos.

Igual, se produce un silencio en la charla que yo no interrumpo. Prefiero mirar hacia el piso. Esperar a que el señor, en el instante en que se le ocurra, vuelva a tomar la iniciativa de la conversación. Bajar los ojos siempre me da resultado con los hombres, nunca con las mujeres.

El señor es un hombre, no puede fallar.

Y no falla.

Al cabo de unos segundos eternos, el señor me pregunta si estoy dispuesta a visitar la empresa para la que trabaja el próximo lunes en horas del mediodía. Además de él, también tienen que conocerme otras personas muy importantes, y que, si a esas otras personas muy importantes les caigo tan bien como le caigo a él, entonces me hacen una propuesta laboral. No le demuestro absolutamente nada de mi alegría interior. No. Sólo le pregunto si puedo ir acompañada de mi abuela, dado que no creo que mi abuelo pueda dejar, justo al mediodía, su puesto en el mercado. El señor vuelve a reírse mientras me asegura que sí, que vaya con mi abuela o con mi abuelo. O con los dos, si eso es lo que prefiero, agrega en medio de una tímida carcajada.

Yo no me río.

Aunque me muero de ganas de hacerlo.

Cuando el hombre se retira, Lin An Bo se acerca hasta donde estoy sin disimulos, a grandes zancadas, y me abraza con fuerza. Está feliz. Exultante. Y lo exhibe en los precarios términos en los que suele exhibir sus felices exaltaciones: encierra mi cuerpo entre sus brazos con tenacidad. Excesiva, toscamente. Son sus maneras. Las conozco de anteriores felicidades. Y, como las conozco, lo dejo hacer aunque me duela un poco su apretón. Yo también estoy feliz y mi felicidad no tiene ganas de fijarse en dolores.

Después de interminables minutos, el abuelo abre lentamente sus brazos, se separa apenas unos centímetros de mi cuerpo, me mira fijo a los ojos y decide en voz alta, para los dos, que tenemos que ir ya mismo a visitar la pagoda más cercana. Debemos quemar unos cuantos sahumerios, Su Nuam. Debemos agradecer y ofrendar: es importante que tan buen principio llegue a un mejor final.

Deja a un vecino vigilando su puesto en el mercado y partimos.

Caminamos las calles.

Lin An Bo parece ansioso. Casi corre. Yo lo sigo como puedo, tratando de que no se enoje si no descubre en mí una ansiedad o un apuro semejantes. Está contento. Su alegría desborda. No es el mismo de siempre. Es otro. Un novedoso y simpático abuelo paterno.

Llegamos a Beisi Ta y compra dos manojos de sahumerios, uno para él y uno para mí. También compra una imagen del Buda encerrada en una cajita plástica transparente para ofrendar en la pared del templo. Colocamos juntos la imagen y enseguida me entrega mis sahumerios. Voy hacia el lado derecho y él elige ir hacia la izquierda. Lo dejo. Debe querer quemarlos en soledad. Lo entiendo perfectamente: la soledad comunica mejor con el más allá.

Me acerco a la pira.

Entonces me doy cuenta de que no tengo cómo encender mis sahumerios.

Vuelvo mis pasos hacia donde está Lin An Bo. Pero lo encuentro tan abstraído, tan ensimismado, tan aislado del resto del universo, que no me animo a pedirle los fósforos que necesito.

Decido esperar.

Y, de paso, observar de cerca la escena.

Prende los sahumerios de a tres o de a cinco. Creo que hasta cierra los ojos mientras lo hace. Después, mientras mira cómo el humo trepa hacia las alturas, no para de susurrar. Sin embargo, no alcanzo a entender nada de lo que dice. Casi suspira cada una de las palabras que salen de su boca.

Es muy bello lo que vivo en ese momento.

Me cuesta escribirlo.

Enseguida recuerdo a mi padre, allá en Glew, recordando dichos del suyo. El humo tiene siempre ganas de cielo. Se parece al deseo. O es lo mismo, definitivamente. Eso dice mi padre, aquella vez, que antes dice el suyo, An Bo, el hombre que ahora mismo tengo justo enfrente de mí, tan metido dentro de su propia humanidad, tan lejos del mundo y, a la vez, tan cerca de mí.

Después me aparto.

Decido dejar a Lin An Bo en paz con sus ruegos y pedir un encendedor a uno cualquiera de los visitantes de la pagoda. Prendo mi manojo de sahumerios, todos de una vez para devolver rápido el encendedor. Luego los coloco en la pira y observo cómo las infinitas formas del humo trepan por los aires. Es muy hermoso el momento. Tan hermoso que casi me olvido de pedirles, a los habitantes del más allá, que me ayuden a conseguir el empleo que me van a ofrecer el próximo lunes.

Algunos de los sahumerios no se prenden.

Y ya no tengo el encendedor.

Son cuatro los que no prenden. Exactamente cuatro. Una lástima. Aunque espero que eso no constituya una mala señal para el porvenir. Por supuesto, jamás le cuento a Lin An Bo que quedan cuatro sahumerios sin prender. Jamás.

Por la noche, cuando llama mi madre por teléfono, le comento las novedades. Pero ya las conoce. Lin An Bo, incontenible, se las avisa más temprano. Le digo que el abuelo se apura, que lo veo demasiado ansioso, y ella me pide que no lo cuestione, que el abuelo es quien decide lo que le conviene a la familia. Yo no. Yo no tengo ningún derecho. Soy una niña, todavía.

Al final de la conversación, justo después de contarme por enésima vez que Beijing es más fría que Suzhou y que no para de nevar, mi madre me dice que Lin An Bo me va a acompañar a la entrevista del próximo lunes, que se va a tomar el día libre en el mercado, que por favor me porte muy bien y que le haga caso en todo lo que él resuelva respecto del trabajo que me ofrecen esos señores.

No me gusta lo que ordena mi madre.

Sin embargo, lo acepto. No me deja ninguna otra opción.

Acá sí tengo opciones. Acá, en mi cuaderno, hago lo que quiero. No puede meterse nadie. No entienden el castellano. Mando yo.

Así que.

Me olvido de la entrevista del próximo lunes, del frío, de las muchas órdenes familiares de anoche, y continúo contando el último día de mi padre en Glew.

Nosotras, mi madre y yo, llegamos al supermercado alrededor de las nueve de la mañana. Ese día no tengo que ir a la escuela, por suerte. Ya es diciembre y estoy de vacaciones. Apruebo todas las materias, incluso castellano a pesar de mi dificultad con sus infinitos tiempos verbales y algunos plurales o singulares. Cuando llegamos, la señora boliviana está guardando sus verduras y sus frutas y colocando una lona encima de ellas. Tiene miedo. Se retira. No se queda ni un minuto más. Lo deja todo y me pide que por favor interceda ante mi padre para que haga lo mismo.

El señor de la carnicería ni siquiera abre.

No quiere arriesgarse.

Pasa sólo un rato por el supermercado para exigirle a mi padre que haga lo mismo, que cierre y que se vaya; le advierte que la cosa viene muy pesada, que hasta los dos muchachos vecinos van a participar del saqueo, que es cuestión de horas, que no pasa de hoy, que lo sabe todo el barrio, que por favor le haga caso, que no le importa perder la carne, que lo que no quiere es perder también su enorme heladera y sus máquinas.

Mi padre no hace caso.

Se queja a los gritos de la cobardía del carnicero y de la boliviana.

Yo no intercedo.

Conozco a mi padre y sé que es imposible que Lin Jang Xian cambie de parecer cuando está convencido de algo. Realmente imposible. Ni siquiera lo intento. Me ubico, sin llamar la atención, en la caja del supermercado y les cobro a los escasos clientes que se acercan a hacer sus compras.

Al rato, mis padres comienzan a discutir.

A unos pocos pasos de la caja.

Entonces, decido salir a la calle. No quiero

escucharlos pelear. Prefiero sentarme sobre el cajón de maderas y mirar hacia la plaza.

Está igual que siempre, la plaza.

Sola. En silencio. Vacía de pasto y con sus árboles aburridos de estar plantados allí para nadie y para nada.

Mi abuelo paterno sigue excitado. Se comporta muy distinto al abuelo paterno que conozco desde antes. Casi como un chico. Se acerca hasta la orilla del Gran Canal, riéndose a las carcajadas, sólo para cantarme una canción que acaba de recordar de su infancia comunista. Una canción que dice que está feliz en la nueva China, tanto como si viviera dentro de un frasco de miel.

La canta, vuelve a reírse a las carcajadas después de escucharse cantarla, y retorna a su puesto caminando a los saltos.

Sabe algo que yo no sé.

Seguro.

Esta tarde, en el bote, cuando estamos a solas, voy a preguntarle hasta que tenga que contarme lo que sabe. Tengo la excusa perfecta. Le voy a mentir que necesito saber todo aquello que él sabe sobre mi posible futuro trabajo a fin de prepararme convenientemente para no cometer equivocaciones durante la entrevista con esos señores tan importantes con los que voy a conversar el lunes próximo al mediodía. Voy a suplicarle, a exagerarle que puedo perder la posibilidad de conseguir ese gran empleo si no me cuenta, que es casi una cuestión de vida o muerte.

Voy a interrogarlo esta misma tarde.

Hasta que confiese.

Aunque, quizá, no sepa más del asunto que lo poco que yo sé y solamente imagine o sueñe cosas lindas para lo porvenir. No debo olvidarme de que Lin An Bo es el padre de Lin Jang Xian y ambos son hombres de imaginar. De soñar despiertos. Fanáticos del optimismo.

Aquella mañana de principios de diciembre del año de la serpiente, no encuentro nada novedoso en la plaza. Exactamente lo mismo de siempre. Los árboles, los bancos de cemento y los yuyos debajo de los bancos de cemento. La escasa civilización de la pampa. Su infinita soledad horizontal. El silencio. El aburrimiento. La fealdad.

Y mis ojos ahí, para observarla.

No parece ocurrir algo distinto a la nada que ocurre siempre. Mucho menos, el presagio de ningún inminente saqueo al supermercado La Plaza.

Por una vez, me pongo del lado de mi padre. Entro al local, me paro justo entre los gritos de mi madre y los gritos de mi padre y les doy mi opinión: me da la impresión de que Lin Jang Xian tiene razón, que no va a pasar nada, que afuera está todo muy tranquilo, igual que siempre. Por supuesto, recibo la inmediata mirada de repudio de parte de mi madre y sus gritos de que no me meta donde no me llaman. En contrapartida, también recibo por mi participación en la escena una amorosa mirada de mi padre y su silencio complacido.

Sea como sea, lo cierto es que mi inesperado ingreso dentro de la pelea conyugal por fin la termina. Enseguida después de odiarme con su mirada y de gritarme, mi madre se va a esconder en el fondo del local, en la zona de la fiambrería, y mi padre, feliz y contento, sale a la calle a constatar cuánto de verdad hay en lo que yo acabo de contarles.

Lin Jang Xian, mi padre.

Cuando vuelve a entrar, me pasa una de sus manos por el pelo. La más excesiva de sus escasas demostraciones de cariño. Mientras, muy cerca del oído derecho, me susurra que las personas que aprenden a soportarlo todo, el día menos pensado se encuentran a la cabeza de los demás.

¿Soy la culpable de lo que luego va a ocurrir?

Retorno siempre a ese momento. A veces pienso que sí. Y me duele. Y me echo culpas y más culpas. Y lloro a mares. Pero otras veces pienso que no; me convenzo para mis adentros de que Lin Jang Xian no necesita de mis palabras para decidir lo que decide, que eso es del todo imposible.

Ahora mismo, recuerdo otra frase que, cada tanto, repite mi padre: los hombres son los animales más malvados que habitan el universo.

No sé.

Por algo la recuerdo apenas escribo en el cuaderno la frase que me susurra al oído aquella última mañana de Glew. Sin duda, están relacionadas la una con la otra. Si el hombre es el ser más malvado del universo y hay que soportarlo todo para llegar, algún día del mañana, a estar por encima de los demás, el aprendizaje de la vida se parece mucho al esforzado aprendizaje de las maldades humanas. Según mi padre, entonces, el más malo, finalmente, se convierte en una suerte de ser muy superior a aquellos otros seres que no pueden soportar lo insoportable. El más malo es, al final del cuento, quien le gana a los menos malos.

No me gusta lo que descubro recién hoy que piensa mi padre acerca del mundo y sus habitantes humanos.

No me gusta nada.

Aunque quizá sea verdad, no lo sé.

Por la tarde, ya sentados en el bote mientras volvemos hacia el monoblock, casi muerta del frío, le pido a la espalda de Lin An Bo que me cuente todo aquello que sabe acerca del empleo que me quieren ofrecer esos señores el próximo lunes al mediodía. Quiero todos los detalles, le ruego. Los necesito para responder correctamente a sus preguntas, le explico. Si no les respondo lo que ellos esperan escuchar, puedo perder una oportunidad de trabajo muy importante.

Lin An Bo sigue remando.

Como si yo o mis muchas preguntas a su espalda no existiéramos.

Entonces insisto. No me rindo. Mi abuelo paterno no va a vencer mi deseo de saber lo que quiero saber con tanta facilidad. Puede que lo haga. No lo sé. Sin embargo, antes me va a tener que escuchar. Una y otra vez. Hasta el cansancio. A sus oídos les va a costar bastante más que a su espalda tanta reticencia a mis deseos de saber.

Lin An Bo rema.

Hace que no me escucha aunque yo no pare ni un solo segundo de preguntarle.

Recuerdo que en Glew mucha gente me habla de la infinita paciencia china. Yo no les hago caso. Me río. No es lo que observo ni en mi madre ni en mi padre. Ahora es distinto. Ahora estoy en Suzhou. Y la espalda de mi abuelo, desde su silencio, me dice que, quizá, la gente de Glew tenga razón en ese punto.

Igual, no me rindo.

Insisto con mis preguntas.

¿Acaso la insistencia también puede considerarse una de las maneras en que se manifiesta la infinita paciencia china?

Cuando llegamos al monoblock, le pido ayuda a mi abuela paterna. Ella me lleva hasta la cocina y allí, en voz muy baja para que no nos escuche Lin An Bo, me dice que puede mostrarme dónde está la puerta, pero que no puede abrirla por mí; que, en este caso, solamente yo puedo abrirla.

No comprendo del todo bien lo que quiere decirme.

Ella se da cuenta enseguida de mi incomprensión, por supuesto, y entonces me explica que estoy andando un sendero equivocado, que el único sendero que lleva hasta el corazón de mi abuelo paterno es el silencio. No le hables más, Su Nuam. Ignoralo. Y dejá que el tiempo transcurra.

Es lo que hago a partir de ese preciso momento.

Aunque me cueste.

Me parece que soy una irrespetuosa, que no debo hacer lo que estoy haciendo, que nadie, y mucho menos mi abuelo, se merece un trato semejante de mi parte. Pero, a pesar de todos los pesares, persisto en mi silencio.

Al principio, Lin An Bo se enoja.

Le grita a mi boca cerrada.

Luego, poco a poco, va calmándose.

Hoy a la mañana, mientras desayunamos antes de partir hacia el mercado, ya me da un poco de lástima su repentina inseguridad. Es otro hombre. Incapaz de manejar la situación. Me da pena observar las torpes maneras con que se desplaza por la cocina y también me da mucha pena su absoluta imposibilidad de soportar ni un minuto más tanto silencio y tanta ignorancia de mi parte.

Un rato más tarde, apenas terminamos de acomodarnos en nuestros respectivos asientos del bote y partimos rumbo al mercado, tal y como ayer promete la abuela, la puerta por fin se abre. La espalda de Lin An Bo me cuenta todo aquello que deseo saber.

Y más.

Su Nuam, escuchame con atención, las personas importantes que te van a entrevistar el próximo lunes son los gerentes de una gran empresa constructora de la región. Te ofrecen un trabajo. Una oportunidad laboral única. Con solamente quince años de edad te vas a convertir en traductora profesional. Te sirve como experiencia, además. Una experiencia que permite que tengas otros muchos clientes en el futuro. Y dinero. Es el inicio de una carrera muy beneficiosa, Su Nuam.

Y con sólo quince años.

Un verdadero milagro.

Al mismo tiempo, claro, por tratarse de una gran oportunidad para vos, esos señores no te van a pagar lo que tienen que pagarle a una traductora profesional con experiencia. Te pagan menos. Bastante menos. Y eso les conviene. Hablamos de un viaje de negocios, ellos van a cerrar un contrato de millones de yuanes. Y como vos sos menor de edad, yo tengo que acompañarte. Hay un segundo milagro, todavía: es justo el viaje que tu abuelo paterno tiene ganas de hacer. Así que si ellos quedan conformes luego de la entrevista, los dos vamos a ser muy felices: vos vas a iniciar un nuevo y afortunado camino en la vida y yo voy a hacer el viaje que, por distintas razones, necesito hacer.

Los brazos no dejan de remar, pero ya no hay más palabras.

Espero un momento.

Por las dudas de que el silencio de Lin An Bo sea sólo una pausa. Pero no. Se alarga. Evidentemente no se trata de ninguna pausa. Entonces, no me queda más remedio que preguntarle por el destino hacia el cual vamos a viajar si es que me va bien en la entrevista del próximo lunes.

Inseguro, se le nota tanto en el tono de la voz como en el hecho de que saca los remos del agua y se olvida de volverlos a entrar, me comunica que vamos a viajar a Buenos Aires.

Eso queda demasiado cerca de Glew; demasiado cerca, abuelo, le digo enojada y, casi de inmediato, me largo a llorar.

No quiero volver a Glew, le grito a la espalda de mi abuelo en medio del llanto.

No quiero.

Repito un par de veces más que no quiero para que le quede bien en claro mi posición. Y ya no lo repito más. Creo que no hace falta. Durante el resto del trayecto hasta el mercado, no hablamos una sola palabra. Retornamos a nuestros respectivos y separados silencios. Al frío de la mañana. Lin An Bo rema mirando hacia el futuro del canal y yo lloro mirando hacia ninguna parte.

Estoy escribiendo encima de la palangana plástica. Sin parar. Tengo la ilusión, cuando llego al mercado y abro el cuaderno, de que si escribo en detalle lo que sucede desde ayer, puedo, en algún renglón, quizá de casualidad, entenderlo. Pero no. Ya no. Ya no tengo más la ilusión. La pierdo. Escribo todo, no dejo nada sin escribir, y sigo sin entender lo que pasa en mis alrededores.

Estoy sola.

Y triste.

Muy triste.

Miro cada tanto hacia el puesto. Lin An Bo habla, camina, gesticula, vende sus bichos. Igual que siempre. Igual que toda la vida. Yo no. Yo estoy en blanco, ausente, más cerca de la plaza de Glew que del Gran Canal de Suzhou.

A las once de la mañana, más o menos, dos hombres ingresan al supermercado. Toman unas cuantas botellas de cerveza de la heladera que está junto a la caja y se marchan sin pagar. Les grito que paguen. Pero no pagan. Me miran y sólo se ríen de mis gritos. Luego siguen su camino muy tranquilos, charlando entre ellos como si nada pasara, como si yo no existiera, como si robar cervezas de una heladera, a la vista de todos, en un supermercado, fuera lo más normal del mundo.

De inmediato, voy hasta el fondo del local y le cuento a mi padre lo que acaba de ocurrir.

Mi padre corre a perseguirlos.

Al rato vuelve. De muy mal humor. Busca la pistola que guarda en el depósito, la llena de balas delante de mi madre y de mí, se ubica detrás de la caja y nos ordena a nosotras dos que nos vayamos, ya mismo, al monoblock.

Le hacemos caso. Nos vamos. Y mi madre llora sobre su cama la tarde entera. No sabe qué hacer. Sólo sabe llorar.

Aunque hace mucho frío, el sol está alto. Y recién es sábado. Me doy cuenta porque hay mucha más gente en el mercado. Desde que vuelvo de Glew, me cuesta reconocer el día en el que vivo. Es sábado. Mediodía de sábado. Por la cantidad de gente y por la altura del sol. Y eso significa que todavía faltan dos días enteros para la entrevista con esos señores empresarios.

Una buena noticia.

Dos días enteros es tiempo suficiente.

Un lapso en el que puedo conversar varias veces con Lin An Bo. Tantas veces como sea necesario para que modifique su opinión respecto de la conveniencia del futuro viaje a Buenos Aires. No quiero ir. De ninguna manera quiero ir. Buenos Aires queda demasiado cerca de mi padre y de mis recuerdos de aquel día de diciembre.

Mi madre llora sobre su cama.

No sabe que, poco después del mediodía, una docena de hombres pretenden ingresar a la fuerza en el supermercado y llevarse todo lo que encuentren. No tiene idea de que los hombres amenazan a Lin Jang Xian desde la mismísima entrada del local con matarlo si no les permite robar en paz. Mi madre no sabe siquiera que mi padre resiste con dignidad a sus pedidos ni que, para que se dispersen, utiliza su pistola calibre veintidós un par de veces.

No les apunta a ellos.

Apunta hacia el cielo.

Sin embargo, mientras corren a esconderse de los tiros en la plaza, los hombres no dejan de advertirle que van a volver y que, cuando vuelvan, las cosas van a suceder de una manera muy distinta.

Mi madre no lo sabe.

Y yo tampoco lo sé.

Me entero después. A eso de las tres de la tarde. Le pido permiso al llanto de mi madre y voy hasta el supermercado a ver cómo está Lin Jang Xian. Unas cuadras antes de llegar, me encuentro con una señora que me cuenta lo que pasa. Me asusto y corro hacia allá. Cuando llego, encuentro las rejas cerradas. Los portones de chapa no. Los portones están abiertos de par en par y hay una buena cantidad de gente en la plaza, casi enfrente del supermercado. La mayoría son hombres. Y no están sentados sobre los bancos de cemento. No. Dispersos, conversan en grupos, debajo de la sombra de los árboles.

No los conozco.

Sólo descubro, medio escondidos dentro de uno de los grupos, a mis dos amigos, los muchachos de la casa vecina al supermercado.

Me acerco hasta las rejas para hablar con mi

padre. Está sentado sobre el cajón de maderas que yo suelo utilizar para observar la plaza. Está alerta. Con su pistola en la mano. Se enoja mucho cuando me ve ahí parada. No entiende que desobedezca sus órdenes. Tampoco parece comprender mi preocupación ni el cuento que le hago de que mi madre no deja de llorar sobre su cama, en el monoblock.

Está decidido a luchar por lo que es suyo.

Dice que no les tiene miedo.

Aunque sean veinte o sean treinta o sean cien. Me explica que él tiene el mejor lugar para dar la batalla. Que el número de sus enemigos no es relevante. Que, para ingresar por la fuerza, antes deben acercarse hasta donde está él y que, si se atreven a acercarse, él tiene su pistola. Cargada.

Me exige que me calme.

Y que vaya rápido hasta el monoblock y calme también el llanto de mi madre sobre su cama; que le explique que las guerras las ganan los sabios, aunque sean muchos menos que aquellos que no tienen cabeza.

Cuando reviso esta escena, en mi mente, me queda claro que no soy yo la culpable de lo que decide mi padre. No. De ninguna manera. Aunque igual llore a mares cuando recuerdo la intervención que tuve durante la mañana.

64

Aquella tarde, no vuelvo al monoblock tan rápido como Lin Jang Xian me ordena. Camino a tientas, con la cabeza repleta de dudas. Mi madre llora encerrada y mi padre pelea solo contra una multitud de hombres. Dos actitudes bien distintas, las actitudes de mis padres. ¿A cuál de los dos me parezco más cuando sea grande? Es cierto que me esfuerzo en mi lucha por aprender los infinitos tiempos verbales castellanos, las diferencias entre los plurales y los singulares, tantas cosas. Pero también es cierto que mi esfuerzo no es el mayor de los esfuerzos posibles. ¿Qué hago yo, en el futuro, si soy la dueña de un supermercado y una multitud quiere robarme? ¿Qué hago yo, también en el futuro, si soy la mujer del dueño de un supermercado que una multitud quiere robar?

Las preguntas parecen similares.

Sin embargo, no lo son.

No es lo mismo un hombre chino que una mujer china. Lo sé. Lo sé de memoria. Aunque en ese momento viva en Glew y no en Suzhou. Creo que si fuera la dueña, les doy lo que me piden y más tarde, sola, lloro por mi novedosa pobreza. Si en cambio soy la mujer del dueño, creo que me levanto de la cama en donde lloro, me seco las lágrimas, salgo de mi encierro, corro hasta el supermercado y le grito a mi marido hasta que lo convenzo de que es una locura pelear contra la multitud. Y cuando llego a ese punto tan alto de mis pensamientos, me doy cuenta de algo muy importante que se me está pasando por alto: desde una actitud diametralmente opuesta, mi padre está igual de encerrado que mi madre.

Se parecen.

Los dos son adultos.

Aquella tarde, entonces, determino que la adultez supone la incapacidad humana para salir con facilidad de un encierro cualquiera.

Ahora, lejos de la plaza de Glew, aquí, frente al Gran Canal, en Suzhou, también me doy cuenta de otro asunto. En ningún momento de esa lenta caminata hasta el monoblock me pienso a mí misma con alguna posibilidad de hacer algo que cambie esta historia. No me involucro. O me pienso sin la capacidad suficiente para torcer la voluntad de los adultos o me pienso afuera, como una adulta en el futuro. Dos maneras, me da la impresión, de no ser yo misma durante aquella tarde infernal. Dos maneras que, también, ahora mismo me llenan los ojos de lágrimas.

Me justifico: los chinos somos obedientes de nuestros mayores.

Muy obedientes.

Soy una buena hija, allá en Glew. Hago caso de todas las órdenes de mi padre. Aunque no me gusten o no las comprenda. ¿Acaso soy también una buena nieta acá en Suzhou? No lo sé. Todavía no lo sé. Lo único que sé es que por nada del mundo quiero volver a Buenos Aires.

Entonces.

Ahora no hace tanto frío y como no quiero desobedecer pero tampoco deseo volver a Buenos Aires, decido que no hablo más con Lin An Bo. Ni una sola vez. Por más que me insista y me insista. Le hago caso a los dichos de mi abuela acerca de las puertas que se abren. Es una de las formas posibles de la obediencia, me parece. Y si no le dirijo la palabra, sospecho que bastante antes del próximo lunes al mediodía mi abuelo paterno va a rendirse ante la evidencia de que no quiero hacer aquello que él quiere que yo haga.

Y punto.

El viaje en bote de vuelta hacia el monoblock resulta muy incómodo. Tanto para Lin An Bo como para mí. No se acaba nunca. Es eterno. Al principio, su espalda me pregunta si continúo enojada. Pero no le respondo y él entonces entiende que sí, que sigo enojada. Sin embargo, no se desbarranca en palabras amables, inseguras, como durante la mañana. No. En esta oportunidad, también él prefiere el silencio. Y, con el paso de los minutos, su silencio comienza a molestarme, a inquietarme enormemente.

¿Cómo se abre la puerta de mi corazón?

No lo sé.

Todavía no lo sé.

Nunca me lo pregunto hasta este momento. Tampoco recuerdo ninguna instancia anterior en donde modifique una determinación a partir de lo que otra persona haga para que yo la modifique. Tengo que pensar al respecto. Por eso, apenas llego al monoblock, me encierro en mi habitación, abro el cuaderno y escribo.

Pienso y pienso. Lo único parecido que recuerdo a abrir la puerta de mi corazón tiene que ver con Glew y con mi padre. Lin Jang Xian no quiere que converse más con los dos muchachos que habitan la casa vecina al supermercado. Insiste en eso. Una y otra vez. Pero yo no le hago caso. Me gusta charlar con ellos. Sólo entiendo que tiene razón aquel día último, cuando los veo con mis propios ojos en la plaza, mezclados con las treinta o cuarenta personas que quieren robarle.

Sólo ahí comprendo que mi padre tiene razón.

Demasiado tarde.

Si me fijo en ese único recuerdo, debo reconocer que sólo abro la puerta de mi corazón cuando es obvio que el otro tiene razón. No hay silencios ni gritos que la abran.

Lin An Bo va a tener que convencerme de que ese viaje es imprescindible.

Ser obvio.

No veo que haya ninguna otra cuestión que pueda hacerme cambiar de parecer. Va a tener que mostrarme la necesidad. Tengo que verla, para aceptarla.

Mi abuela entra en la habitación y me invita a pasear con ella durante el día de mañana. Dice que es domingo, que ella está libre, que mi abuelo puede arreglárselas muy bien solo con sus bichos, que lo hace desde siempre; que quiere llevarme hasta Huqiu Shan y, si el tiempo alcanza, también a caminar por el bosque de bambúes, que no conozco casi nada de Suzhou, que solamente veo el lago y los canales, que eso es muy escaso, que todavía me queda mucho por descubrir.

Las dos solas.

Así hablamos, también.

Me dice, casi en un susurro cómplice, en el momento en que deja la habitación. Y yo le respondo que sí, que acepto, que por supuesto que quiero, que me encanta la idea de compartir el domingo entero con ella.

La inesperada irrupción de mi abuela dentro de la habitación me cambia el ánimo. Inmediatamente, dejo de preocuparme por la entrevista del lunes y por el posible viaje a Buenos Aires. Es una

71

mujer muy sabia, Lin Shi. Ella va a saber aconsejarme. Como antes lo hace para abrir la puerta cerrada del corazón de Lin An Bo, mañana, mientras paseamos por el cerro del tigre o por el bosque de bambúes, me va a decir aquello que tengo que hacer para convencerlo de no viajar.

Sólo me queda una duda.

¿Entra en mi habitación porque ella lo decide o lo hace porque se lo pide mi abuelo?

No lo sé.

Recién mañana tengo la respuesta. Mejor duermo, ahora mismo.

Primero visitamos el bosque de bambúes. Tomamos un colectivo, luego una lancha que cruza
el lago Taihu y más tarde otro colectivo. Hablamos
muy poco en el trayecto. Casi nada. Yo aprovecho
para descubrir lo que no conozco y ella sólo responde a alguna pregunta que le hago para saber
qué es aquello que estoy descubriendo. Sus respuestas son siempre cortas. Precisas. No explica,
no se anda con vueltas.

El día es muy hermoso.

Hay sol y hasta hace un poco de calor.

Quizás, esta mañana, comience la primavera.
Lo pienso y enseguida se lo pregunto al silencio de
mi abuela. No lo sé, me responde, eso lo deciden
los cerezos, nosotros no. Ya estamos en la entrada
del bosque y me encanta que esa mujer tan callada
y tan sabia y tan exacta en sus escasos dichos sea

mi abuela. Me dan ganas de abrazarla y de besarla y de decirle que la quiero un montón. Pero no hago ninguna de esas cosas. Sospecho que no le gustan. Suele ser muy escasa, también, en sus demostraciones de cariño. Por eso, sólo le acaricio el brazo que tengo más cerca y la tomo unos segundos de la mano.

Mis sospechas no se equivocan.

Puntuales, se manifiestan de inmediato.

De un tirón, suelta mi mano con la excusa de mostrarme la completa desnudez de un cerezo que hay al costado del camino por el que andamos. Puede hacerlo con la otra mano, con la que le queda libre. Pero no. Elige justo la mano que yo le tengo aprisionada. Tampoco dice nada. Sólo señala con el dedo índice en dirección al cerezo pelado. La conclusión de su descubrimiento la tengo que poner yo: todavía falta un rato para que comience la primavera.

Los bambúes son muy flacos.

Sin embargo, también son altísimos y fuertes.

Me siento pequeña entre ellos. Bastante más pequeña de lo que en realidad soy. Pero disfruto enormemente de esa insignificancia. Ando a gusto por allí. Liviana. Camino con una sonrisa dibujada en los labios. Y hasta me hago un tiempo para recordar, desde la belleza, la fealdad de la plaza de Glew. Ahora la encuentro más fea de lo que la encuentro antes de ingresar al bosque. Aunque me olvido de ella lo más rápido que puedo. No me parece justo comparar. Ni tampoco me parece sano que necesite del recuerdo de la fealdad para disfrutar plenamente de la belleza.

Le cuento a mi abuela que estoy muy feliz de estar ahí.

Me alegro, responde.

Y agrega que los seres humanos pueden plantar bambúes, incluso muchos y todos juntos, pero jamás pueden convertirse ellos mismos en bambúes. Eso es lo único que la escucho decir a lo largo de toda nuestra travesía por el bosque. Lo único.

Más tarde, tomamos un colectivo y luego otro. Apenas si comemos algo, de pie, en un puesto, antes de ingresar a Huqiu Shan.

Un sitio increíble, Huqiu Shan.

Tan increíble que hasta logra que a Lin Shi se le suelte la lengua y hable un poco más que de costumbre.

Bastante más.

Me cuenta que el cerro que estamos pisando es anterior a casi todo lo que hay sobre este mundo. Y posterior, también. Que aquí está enterrado el rey He Lu, el fundador de Suzhou. Que el cuidado de los infinitos bonsáis por entre los que andamos es una actividad milenaria. Y china, no japonesa. Que en realidad se llaman penzáis y que allí puedo encontrar algunos que suman más de seiscientos años. Que lo que estamos observando es una de las pruebas más exquisitas y al mismo tiempo más pacíficas de lo que pueden hacer los seres humanos, desde el esfuerzo y la voluntad, para modificar algunos de los designios celestiales.

Llamamos a eso proeza.

O sencillamente trabajo, me dice.

Después, nos mudamos hasta la región más empinada del lugar. Hasta la base del templo de Yun Yan, una pagoda de mil años de antigüedad que está inclinada hacia uno de sus lados. Nos quedamos un rato larguísimo mirándola. Justo hasta que Lin Shi me cuenta que, por el contrario, eso que vemos ahora, la inclinación de la pagoda, es una muestra cabal de lo que las divinidades celestiales pueden hacer, sin ningún esfuerzo, para torcer la vanidad de los seres humanos.

Llamamos a esto defecto.

O error.

O también vicio, me explica.

Y a la suma de la colección de penzáis y el templo Yun Yan, agrega, algunos lo llaman historia y otros lo llaman vida. Aquí, de modo más modesto, preferimos llamarlo Huqiu Shan.

En ese momento, por supuesto, a partir de las últimas y definitivas palabras de mi abuela, se termina el paseo. Sólo queda que escriba, me parece, que mientras cruzamos en lancha el lago, de vuelta hacia el monoblock, Lin Shi toma mis dos manos entre las suyas durante unos breves segundos, me mira fijo a los ojos y me pide que por favor le permita a Lin An Bo visitar a su hijo; que el abuelo necesita hacerlo, que los hombres son así, que ella no, que tanto ella como yo somos mujeres, que las mujeres no necesitamos de casi nada, que a ella le alcanza con llevar a Lin Jang Xian en su corazón y que, quizás, a mí también me ocurra lo mismo.

Pero el abuelo es hombre, concluye.

Mi abuela entra en mi habitación a avisarme que la comida está lista. Le digo que no quiero comer, que no tengo hambre, que estoy muy cansada, que prefiero quedarme en la habitación y descansar, que mañana me espera un día difícil, que mejor duermo para estar bien despierta durante la entrevista con esos señores.

Lin Shi me acaricia el pelo.

Y se retira, respetuosa de lo que cree son mis deseos.

Aunque no lo son. En realidad, mi único anhelo es pensar. Reflexionar acerca de lo que debo hacer mañana al mediodía. Mi cabeza está muy confundida. Debo ponerle algún orden. Mejor cierro ya mismo el cuaderno, apago la luz, me meto en la cama y me tapo hasta las orejas. Se me ocurre que la cama es un buen lugar y la horizontalidad una buena posición para pensar. El buda lo hace así en muchas de las figuras que lo representan.

Hay algo más.

No quiero estar, cara a cara, frente a Lin An Bo. Mañana, sí. Después de que piense en todo lo que quiero pensar. Hoy, no. Todavía no.

No pienso. Tampoco duermo. Y me aburro de dar tantas vueltas para nada entre las sábanas. Sólo recuerdo. Por eso, me levanto, abro otra vez el cuaderno y tomo la lapicera.

Mi madre continúa llorando sobre su cama. Me acerco hasta ella y le cuento en detalle todo aquello que sé de lo que ocurre con Lin Jang Xian en el supermercado. Ella detiene su llanto para escucharme. Luego, apenas termino, vuelve a llorar. Incluso con bastante más fuerza que antes.

Me quedo a su lado.

Para acompañar sus lágrimas.

En silencio. Con un montón de preguntas en mi cabeza que no hago. No creo que ella pueda responderlas. Y así pasan los minutos y también las horas.

Soy obediente.

Soy china.

¿Pero acaso no hay un límite para la obediencia a nuestros mayores? ¿Qué ocurre cuando esa obediencia implica, quizá, perder para siempre aquello que uno más quiere, aquellos mismos mayores a los que les debemos obediencia?

¿Soy china?

¿Realmente soy china?

Me lo pregunto aquella tarde en el monoblock de Glew junto al llanto de mi madre y me lo pregunto, otra vez, ahora mismo, sola, harta de dar vueltas entre las sábanas, en el monoblock de Suzhou.

No sé si soy china.

No todavía.

El asunto de la obediencia me parece clave en el asunto. La mujer china obedece. Y yo lo hago. Sin embargo, ¿la mujer china se pregunta si debe o no debe obedecer? No lo sé. Si se lo pregunta, si tiene dudas, entonces soy china. Si, por el contrario, obedece sin preguntarse nada, convencida de lo que hace, entonces no soy china.

Así de fácil.

Lo que sí sé, en cambio, es que me falta escribir el final de mi padre. Y no puedo dormir. Entonces, como no puedo dormir, creo que prefiero recordar a pensar dando vueltas entre las sábanas en la entrevista por venir. Más problemas con el futuro que con el pasado, Sonia, dice la profesora de castellano cuando lee mi examen. Y yo me río. Antes y ahora mismo.

Casi todo se repite.

Estoy en el monoblock. A varias cuadras del supermercado. Lejos. Junto a mi madre, que llora. Obedeciendo, las dos, la orden de mi padre. Así que no veo cómo es que sucede lo que sucede. Después, claro, los vecinos y la policía se encargan de contarme en detalle.

Aproximadamente a las seis de la tarde, Lin Jang Xian está de pie, a unos cuatro o cinco metros de la entrada del local, con su pistola calibre veintidós en la mano derecha. Apunta hacia afuera, hacia la plaza. Justo en dirección hacia donde están reunidos los treinta o cuarenta tipos que quieren entrar a saquear su mercadería.

Mi padre no ve para los costados.

Sólo puede ver hacia el frente.

Y por los costados es por donde proviene el inesperado ataque de los tipos.

Escribo inesperado porque ésa me parece la palabra exacta para describir cómo vive mi padre ese momento final. No encuentro una palabra mejor. Lin Jang Xian supone, desde cierto criterio, que la multitud quiere su mercadería, no su vida. ¿Para qué les sirve su muerte? Para nada. Absolutamente para nada. Eso es lo que imagino que piensa mi padre. Por eso, le alcanza con mirar hacia el frente, hacia la plaza. Y por eso, también, se olvida de los costados.

Los tipos, desde la plaza, le gritan cosas.

Y mi padre sólo les atiende a ellos y a sus gritos.

No tiene modo de ver que dos de los muchachos, justamente los vecinos, se desprenden del grupo por detrás y se acercan, uno por cada lado del enrejado. Ambos llevan botellas cargadas de nafta y con un trapo en las puntas. También llevan encendedores.

Arrojan las botellas.

De a una. Primero desde la izquierda, luego desde la derecha.

Y ahí los comentarios posteriores comienzan a contradecirse entre sí. La policía dice que la idea de los saqueadores al iniciar el incendio es que mi padre abra el enrejado de par en par y los deje ingresar a llevarse la mercadería, que no lo quieren quemar vivo, que de ninguna manera. Un par de clientas del barrio que encuentro de casualidad cuando voy a la Municipalidad para firmar los papeles del entierro de mi padre, dicen en cambio otra cosa, dicen que lo quieren asesinar, que mientras el local se consume en llamas gritan alegremente por la muerte del chino de mierda, que incluso no dejan que los bomberos apaguen el fuego apenas llegar, que se interponen, que no los dejan trabajar.

No sé cuál de los dos dichos refleja la verdad. No lo sé.

Aunque me inclino por una mezcla entre ambas posiciones. Lin Jang Xian es mi padre. Lo conozco muy bien. Sé lo que piensa de un montón de asuntos. Sé cómo puede actuar en momentos cruciales. Lo conozco. Y lo intuyo, también.

Una noche del pasado, cuando soy todavía muy pequeña, mi padre me cuenta una historia antes de dormir. La recuerdo más o menos así:

Hace más de dos mil años, el emperador Qin Shi Huang descubre que, muy a pesar de ser un señor tan poderoso, va a morir igual que muere el resto de los seres humanos que no son emperadores. Lo descubre y reflexiona al respecto. Puede construir un grandísimo edificio en su honor. Un sitio colosal en donde descansar para siempre. Pero, sobre todo, un lugar que les recuerde su inmenso poderío a las generaciones futuras. Eso es lo que, por lo general, hacen todos los grandes personajes de la historia.

Sin embargo.

Qin Shi Huang no hace eso.

Es bastante más inteligente que otros reyes y emperadores. Como no sabe nada de la muerte, como no tiene idea de lo que les ocurre a los hombres y a las mujeres cuando mueren, él decide que, cuando llegue el momento, va a enterrarse junto a miles de guerreros. Si hay otra vida después de ésta, debo prepararme para dominar el cielo así como domino la tierra. Tampoco puede matar a sus guerreros para que lo acompañen en el más allá. Si los mata, pierde de inmediato su poder terrenal, no tiene forma de defender sus logros sin ellos.

Entonces.

Ordena esculpir en terracota todo un ejército.

No sólo guerreros. También generales para que los manden, carros y caballos para que puedan moverse con rapidez si resulta necesario. No sabe nada de la muerte. Sólo sabe que, si hay otra vida en el más allá, él debe estar preparado para que esa otra vida sea lo más parecida posible a esta que vive.

Un gran pensador de la muerte, Qin Shi Huang.

O, mejor, de las posibilidades de la vida después de la muerte.

Y no en vano, hija, aquel emperador habita la ciudad de Xian. La región de buena parte de mis antepasados. La ciudad que me da, también, uno de mis nombres, el segundo.

Ya está bien.

Ahora necesito dormir.

Debo intentarlo. Al menos, intentarlo. Aunque sea un rato. La entrevista con esos señores es al mediodía y tengo que estar más o menos lúcida a la hora de enfrentarlos.

Glew

Vivo algo que no espero vivir. ¿Eso es la vida, finalmente? ¿Vivir lo inesperado, lo nunca soñado? Estoy sentada en un avión que se dirige hacia Londres y, cuando llegue allí, hay un segundo avión que me va a llevar a Buenos Aires. Estoy muy cómoda. Viajo en primera clase, no en turista como siempre antes. Mi abuelo paterno duerme en el asiento de al lado. Muy tranquilo. En paz con sus deseos de visitar la tumba de mi padre.

Yo no.

Ni estoy tranquila ni estoy en paz con mis propios deseos.

Hace unos cuantos días que no escribo en el cuaderno. Primero tengo la entrevista y luego el estudio de innumerables papeles repletos de palabras técnicas que tengo que pensar cómo traducir cuando llegue el momento de hacerlo. Mucho estudio. Mucha preparación para lo que viene.

Pero ya está.

Estoy lista para lo que sea.

Y con más de veinte horas por delante arriba de este avión y del próximo. Necesito volver al cuaderno. Volver a mí, en algún sentido, y olvidarme de los deseos ajenos: los de Lin An Bo y los de los señores que me contratan.

Releo y descubro que aquel domingo me duermo justo antes de terminar de escribir todo lo que quiero escribir acerca de mi padre y de los cuentos que me hace en el pasado acerca de viejos emperadores chinos. O acerca de las posibilidades que tiene la vida de ser después de la muerte.

La vida del emperador Qin Shi Huang.

Y la de Lin Jang Xian, también, se me ocurre ahora.

Los comentarios posteriores de la policía y de las clientas difieren, sobre todo, en cuanto a si Lin Jang Xian no tiene escapatoria en el momento de comenzar el incendio o si, por el contrario, mi padre decide por su propia cuenta morir entre las llamas que arrasan el supermercado. Una suerte de suicidio, dice la policía. Un cruel asesinato, según las vecinas.

Las botellas repletas de nafta se suceden: en

total son más de cinco. Nos cuenta, a mi madre y a mí, un día más tarde el comisario.

Seguro más de cinco, afirma.

Caen hacia un lado y hacia el otro de donde está parado mi padre con su pistola en la mano. Sin embargo, reflexiona en voz alta el mismo comisario, nada le cuesta a mi padre abrir el enrejado y correr hacia la calle. Nada, repite. Hay una inquebrantable decisión, según él, de quedarse dentro y morir entre las llamas. En resumen, prefiere que esos tipos no le roben a continuar con vida; lo demuestra, también, el hecho de que elija utilizar el tiempo para disparar varias veces en dirección a la plaza y no para abrir el enrejado.

Las señoras, en cambio, están convencidas de que mi padre no puede salir.

El tiempo no le alcanza para abrir con algún éxito los tres gruesos candados con cadenas que clausuran el enrejado. No puede por más que quiera. No tiene tiempo: el local se incendia en pocos segundos y necesita minutos para abrir tantos candados. No hay manera de que corra y salve su vida, aseguran las señoras.

En aquel momento, yo no pienso nada al respecto.

Hoy, sí.

Hoy creo que no existen solamente blancos y

negros. También hay colores. Y me inclino por algún matiz del rojo. O del azul.

Lin Jang Xian no desea morir. Como cualquier otro hombre, prefiere la vida a la muerte. Sin embargo, la muerte lo cerca en forma de llamas y entonces, de repente, se da cuenta de que va a morir, de que no tiene escapatoria, de que no le queda otra opción, de que no puede hacer nada para modificar ese destino que lo ataca con botellas repletas de nafta, y entonces decide morir con dignidad, entre lo que es suyo. No es lo mismo llegar a la otra vida con las manos vacías que con las manos llenas, se me ocurre pensar que piensa esa tarde mi padre. Igual que aquel anciano emperador de la ciudad que le da su segundo nombre.

Por las dudas, me parece.

Muere como muere.

Mi abuelo paterno continúa durmiendo en el asiento de al lado. Toma antes del viaje unas pastillas que le alcanza Lin Shi. Ocurre que así como le gustan tanto los botes y las lanchas y los barcos, le disgustan los aviones.

Les tiene miedo.

Me lo dice apenas sentarse y ajustar el cinturón para el despegue.

Sospecho que también él, así como antes lo hace mi padre o aquel emperador, de poder elegir, elige morir en el agua y no en el aire. Rodeado de ranas, sapos y culebras. Un asunto que tiene que ver con los gustos y con las esperanzas acerca de lo que hay o no hay después de la vida.

¿Y yo?

¿En qué lugar y bajo qué condiciones prefiero morir?

Antes, no me lo pregunto. Jamás. Ni siquiera pienso demasiado en la muerte. La muerte es el futuro. Un futuro que imagino lejano, que ni siquiera sé conjugar. Muy a pesar de que a partir de lo que le ocurre a mi padre, sé que existe.

Ocurre.

Un día. Cualquiera.

Puede pasar ahora mismo, incluso. Por eso Lin An Bo necesita tomar esas pastillas antes de viajar. Por el miedo a morir lejos del agua y de casi todo lo que ama.

¿Y yo?

Yo no sé todavía lo que quiero para mi muerte. Ni siquiera sé lo que soy. Ahora estoy aquí sentada en un avión y antes estoy sentada en el revés de una palangana de plástico en Suzhou y antes estoy sentada en un cajón de maderas en Glew. Tengo asientos diversos en cada sitio y en cada tiempo. Y poco más. Hago, hasta ahora, mucho de lo que otros quieren que haga.

Entonces.

Creo que me llevaría gente, al más allá. Mis abuelos, mis padres. Y cuando llego, busco en el cielo alguna cosa sobre la que sentarme a observar lo que tengo enfrente de mis ojos o a escribir en el cuaderno para no olvidar lo que acabo de dejar en el mundo.

La entrevista con los señores empresarios que ahora duermen, también, en otros asientos cercanos, resulta muy fácil. Al principio hay una señora que sabe algo de castellano que me hace tres o cuatro preguntas. Le contesto. Y ya no pregunta más. Les informa a los señores que estoy altamente capacitada para la tarea y entonces uno de ellos me alcanza unas carpetas, me cuenta que en ellas está escrito el proyecto para la construcción de un gasoducto, que debo estudiarlas con cuidado y manejar los términos técnicos que aparecen en ellas. Nada más. Los términos de mi contrato los arreglan luego con mi abuelo.

Y ya está.

Paso una semana entera leyendo sobre gasoductos. No hago otra cosa. Me aburro. Pero mi abuelo está feliz. Y mi abuela. También a mi madre, casi todas las noches, la escucho feliz por el celular.

Aquel lunes, cuando viajamos en el colectivo hacia la entrevista, Lin An Bo me dice que necesita ir a Glew, que por favor acepte el trabajo que me ofrecen los señores. Me explica que debe llegar hasta el sitio en el que está enterrado mi padre para quemar algunas de sus prendas de ropa y un par de zapatos, que es una antigua tradición de la región de la que provienen tanto él como Lin Shi, que si no lo hace, mi padre no está cómodo y sufre el frío en el más allá.

Es imprescindible que haga lo que tengo que hacer.

Soy su padre.

Me dice. Y yo no le respondo. Prefiero no responderle. Dejarlo con la duda de aquello que voy a hacer durante la entrevista. Está muy dulce, mi abuelo. Muy tierno. Hasta delicado conmigo, últimamente. No quiero apurarme a decirle que sí, que voy a aceptar, que no sufra más y perder todo lo que gano en esos días de intensas dudas. Miro hacia el piso. En silencio. Como hago siempre que no quiero responderle a un hombre. Y él me deja hacer. Tampoco tiene muchas opciones. Lo tengo a mi merced. Y me gusta.

No comprendo el asunto de quemar ropa y zapatos.

No comprendo sus tradiciones.

¿Soy china? O, en cualquier caso, ¿qué significa ser china? No lo sé. Todavía no lo sé. Y creo que ya es la enésima vez que me pregunto lo mismo. Demasiadas veces. Basta. Sólo el futuro lo sabe. El presente, evidentemente, todavía no.

Merced es una linda palabra. Antes de hoy creo que no la uso. Nunca. Tampoco la escucho, alguna vez, allá en Glew.

La leo.

Recuerdo que la leo en uno de los libros que nos da para leer la profesora de castellano. Aunque no recuerdo en cuál de esos libros la leo. Tiene que ver con la voluntad, con disponer del otro a nuestro antojo. Manejarlo. Hacer lo que queremos con ese otro. Dominarlo. Una forma o una manera de relacionarnos con alguien que no puede durar en el tiempo, me parece. Dura lo que dura. Un rato. A lo sumo unos días. Meses. Justo hasta que el otro se da cuenta y reacciona.

Me encanta, la palabra merced.

Y también me gusta antojo.

Quizás escribir sea eso. Una enorme máquina que funciona con recuerdos y que, dentro de su propio mecanismo interno, necesita recordar no sólo los hechos que suceden sino también palabras lindas, que la gente no utiliza demasiado.

La azafata, cansada de ofrecerme comidas o bebidas y escuchar que no deseo nada, ahora me ofrece una almohada y otra manta para que pueda dormir como lo hacen mis vecinos.

Quiero una copa de vino tinto.

Le digo.

Y ella se sorprende. Debe pensar que no tengo edad para tomar una bebida con alcohol. Mil cosas, debe pensar. Sin embargo, como viajo en primera clase y rodeada de señores tan importantes, no pone la menor objeción y me la trae.

Quiero probar.

Necesito saber del placer que siente mi padre, por las noches, antes de dormir.

El placer que siente, incluso, aquella última noche en Glew. Necesito descubrir si verdaderamente puede ayudarme a dormir. Pero lo pruebo y no siento ningún placer. Al contrario, me da mucho asco. Me repugna y casi escupo lo que me queda en la boca. Si no escupo es sólo porque puedo ensuciar a Lin An Bo. Y también porque la azafata, sonriente, se queda esperando mi reacción a escasos centímetros de distancia.

Me trago el resto.

Como si me encantara.

Claro que me queda un gusto rancio en el paladar. Un gusto horrible. Insoportable. Entonces, como ella todavía está cerca, le pido que por favor me traiga un vaso de agua y alguna cosa para comer. Se ríe, no para de reírse y me pregunta entre risas si es que no me agrada el vino, que puede traerme otro mejor. Le contesto que no, que sólo quiero un poco de agua. Y enseguida me desbarranco y también le cuento que nunca antes tomo vino tinto, que es la primera vez, que no me gusta, que tengo un sabor horrible en la boca.

Le cuento todo eso, supongo, sólo porque me encuentro a su merced.

Llegamos a Londres. Y tengo que reconocer que, aunque sabe horrible, mi padre tiene razón en el asunto del vino tinto: apenas tomo un trago y duermo de un tirón durante un montón de horas.

Hay que esperar acá para el otro vuelo.

Cuatro horas.

Lin An Bo y los señores que me contratan están afuera. Fuman. Y hablan. No me gusta cómo se comporta mi abuelo con ellos. Está pendiente de lo que dicen. Exagera su amabilidad. Está agradecido. No entiende que es un trabajo. Ni tampoco entiende que conmigo los señores se ahorran muchos yuanes. Todo le parece un milagro. Y se le nota.

Hace un rato, cuando bajamos del avión, me llevan a una tienda del aeropuerto y me compran ropa. Una pollera a cuadros en tonos grises, muy fea, que llega hasta la rodilla, un par de blusas, una celeste y la otra blanca, y un saco igual de feo que la pollera haciendo juego. Dicen que es mi vestimenta para las reuniones, que así voy a parecer mayor de lo que soy. Y más seria. Luego vamos a otra tienda y me compran pinturas para los ojos y un par de lápices labiales.

También me compran zapatos.

De tacos altos.

Les digo que nunca puedo caminar sobre esos tacos, que son imposibles. Ellos se ríen. No les importa. Están seguros de que voy a aprender a usarlos, que es importante, que practique mientras ellos fuman afuera. Me los dejo puestos, pero no practico. Ni un solo segundo. Prefiero sentarme a escribir en el cuaderno. Total, desde donde están fumando, afuera, no me ven. Claro que si en algún momento se acercan, entonces me voy a poner de pie y voy a hacer que camino.

Ropa.

Para trabajar o para ser más adulta.

Además, por supuesto, también está el paquete de ropa que lleva mi abuelo.

En el monoblock de Suzhou, Lin Shi separa un pantalón azul, una camisa, un buzo verde y un par de zapatillas. Son de cuando mi padre todavía vive con ellos, antes de casarse con mi madre y

100

muchísimo antes de Glew. Los lava bien, los plancha, los envuelve en un papel grueso y los ata con un hilo doble. Desde ese preciso momento, Lin An Bo ya no se separa jamás del paquete. Cuando nos despertamos, poco antes de aterrizar, le pregunto por qué es tan importante para él el tema de quemar esa ropa en la tumba de mi padre. Su cara me mira con desconcierto, parece no comprender lo que le pregunto. Entonces vuelvo a la carga. Le exijo un porqué y me responde que es su padre, que él lo arropa cuando su hijo no puede hacerlo por sus propios medios, cuando es un niño y también cuando viaja solo hasta el cielo sin esperar a que él esté allí para recibirlo.

Sigo sin comprender.

Apenas si descubro que el humo es bastante más importante para los chinos que para las demás gentes que habitan el universo. Una manera de comunicarse con el más allá. Un camino. Un puente borroso que se dibuja entre el deseo de los vivos y la muerte de los muertos.

Este vuelo es todavía más largo que el anterior. Doce horas y media. Mi abuelo vuelve a dormirse abrazado a su paquete de ropa. Los señores empresarios no. Conversan ruidosamente. Toman whisky. Cada tanto me miran y hacen chistes sobre mi escasa habilidad para transportarme encima de los tacos altos. No me divierten. No son simpáticos.

Igual les sonrío con mis novedosos labios color carmesí.

Y enseguida bajo los ojos.

No quiero tener problemas. Ni con ellos ni con nadie. Glew queda justo al final del viaje y eso es algo para lo que creo que no estoy del todo preparada. Hace demasiado poco tiempo que hago el camino inverso. Tres, cuatro meses. Aquél es un viaje necesario, un viaje que nos limpia del pasado tanto a mi madre como a mí. Nos separa de los recuerdos malos, de los recuerdos tristes. Éste, en cambio, casi no tiene ningún sentido. Apenas trabajar, ganar unos yuanes. O llevar un paquete de ropa para después incendiarlo.

Los señores empresarios comen.

Voy a despertar a Lin An Bo. Me va a costar, lo sé. Las pastillas que le da mi abuela son tremendas. Está dormido. Profundamente. Pero también nosotros debemos comer algo. Eso es lo que creo, todavía no comemos nada desde nuestra partida. Y Shanghái ya queda muy lejos.

¿Por qué mi padre no cierra también los gruesos portones de chapa? ¿Por qué, aquella tarde, sólo cierra el enrejado? Durante la mañana, mientras discute a los gritos con mi madre, escucho desde el cajón de maderas algo que luego olvido y que ahora recuerdo. Me lo recuerda una palabra que utiliza en broma Lin An Bo, hace un rato, cuando estamos comiendo.

Desfiladero.

Le pregunto si ve por algún lado a la azafata y me responde: ahí anda, por el desfiladero.

Recuerdo ahora que, en medio de los gritos, mi padre intenta explicarle a mi madre cómo va a vencer a la multitud si es que, finalmente, una multitud decide atacarlo. Lin Jang Xian le explica que va a dejar abiertos los portones de chapa, sólo va a cerrar el enrejado y va a esperarlos de pie, apuntando hacia la plaza con su pistola. Ahí es cuando escucho la palabra desfiladero salir de entre sus labios: le asegura a mi madre, siempre a los gritos, que si un único soldado se coloca primero en la boca de un angosto desfiladero por donde debe transitar el ejército enemigo, por más numeroso que este ejército sea, para el soldado que está solo, o para él en este caso, ese ejército no es más que una larga fila de hombres solitarios, una fila de hombres tan solos como él, una fila muy fácil de vencer si el hombre solo está bien pertrechado. Aunque sean tantos, la pelea es siempre de uno contra uno, termina.

Pasa eso, aquella tarde.

Mi padre tiene todo calculado.

Apenas si comete un error. El error de no tener en cuenta que el ejército enemigo lo puede atacar por los flancos. Un error de estrategia fatal, el de mi padre. Desde la posición en la que se ubica sólo puede mirar hacia el frente, hacia el desfiladero, nunca puede observar lo que ocurre en los lados. Y por ahí, precisamente, sobreviene el ataque. Se trata de un error garrafal. Un error que un verdadero general, un soldado valiente, sabe que debe pagar con la propia muerte.

Por eso decide pagarlo entre las llamas.

Sin lugar para quejas ni tiempo para cobardes intentos de huida.

106

El arreglo con los señores empresarios es muy sencillo. No me refiero al asunto de mi pago, de eso no sé absolutamente nada, de eso se encarga Lin An Bo. Me refiero a las tareas que debo realizar como traductora.

No tengo que traducir, puntualmente, cada una de las frases que ellos quieran decirles a las personas con las que van a tratar el tema del gasoducto. Tampoco cada una de las frases que las personas con las que van a tratar quieran decirles a ellos. No. Nada de eso. Los señores que pretenden construir el gasoducto se encargan de llevar consigo a sus propios traductores y con ellos alcanza y sobra.

Mi tarea es otra.

Bastante sencilla, creo.

Sólo tengo que traducir aquello que necesiten en el hotel o cuando van a comer o cuando salen a hacer compras. Situaciones cotidianas. No quieren que les asignen un traductor para esas cuestiones. Puede tratarse de espías, de gente que escucha lo que ellos hablan cuando están solos y luego cuentan aquello que escuchan.

¿Para qué, entonces, debo estudiar todas estas carpetas con términos técnicos específicos?

Me quejo durante la entrevista.

Se ríen.

Y enseguida el señor que va a buscarme hasta el mercado me aclara que también los tengo que acompañar a las reuniones en donde se trata el asunto del gasoducto, que me siento junto a ellos, abro un cuaderno y escribo igual a como lo hago a orillas del Gran Canal; que escribo todo lo que note que no es exacto en lo que traduce el traductor que ponen los otros señores o, quizás, alguna charla entre ellos, a media voz, y que el traductor de ellos no desea que nosotros conozcamos, que por eso tengo que estudiar todos esos términos.

Fácil, la tarea que me espera.

Y, a cambio, Lin An Bo, feliz, puede quemar su paquete de ropa.

No tengo nada de sueño. Pero mejor duermo un rato. Todos duermen, en mis alrededores. Y en apenas unas horas, cuando llegamos, debo comenzar a traducir. Tengo que estar bien despierta. No puedo equivocarme.

Resulta extraño estar de vuelta por aquí. Tan pronto. Tan pocos meses después. Me doy cuenta de que estoy de vuelta por el grosor húmedo del aire, por las maneras en que se mueve o me mira la gente, por los ruidos familiares. Por tantas cosas. Son casi diez años de una vida de quince. Mucho tiempo. Aquí también hay una parte de mí. Seguro. La parte de mí que no es del todo china.

En el aeropuerto nos esperan tres hombres y una mujer con carteles. Nos conducen hasta un pequeño colectivo de color blanco.

La mujer es la traductora que nos asignan. Es de origen chino, de unos cincuenta años de edad, simpática, y traduce muy correctamente cada una de las frases de bienvenida que nos brindan los tres hombres. Ellos son los encargados de recibirnos y de acompañarnos hasta el hotel en donde vamos a hospedarnos, cuenta la traductora. Trabajan con el ministro que lleva adelante el tema del gasoducto. Son algunos de sus secretarios o de sus ayudantes. Y ella queda a nuestra entera disposición, para lo que necesitemos, durante los cinco días que dura la visita. También se va a alojar en el mismo hotel que nosotros, nos informa. Para así poder brindar su ayuda cada vez que nos haga falta.

Entonces.

El gerente que lidera nuestro grupo me señala con un leve giro de su cabeza y, de inmediato, le agradece su disposición pero le informa que si bien va a necesitar de sus servicios a la hora de las reuniones de negocios con el ministro, no va a necesitar de su ayuda en el hotel, que él viaja con su propia traductora, que por favor le comunique sus dichos a los secretarios que nos acompañan para que estén al tanto.

La mujer lo hace.

Me señala con el dedo índice de su mano izquierda y reproduce en castellano lo que nuestro gerente le dice en mandarín.

Los secretarios la escuchan y se ríen. No dejan de mirarme y de reírse. No me gusta la actitud de los tipos. Uno de ellos menea la cabeza mientras susurra entre dientes. Sólo alcanzo a comprender que se refiere a nosotros como los chinos y alguna que otra palabra suelta: jodidos, mierda, nena. No llevo conmigo el cuaderno para anotarlas, pero las recuerdo para contarle más tarde, en detalle, al señor gerente.

Me deben ver demasiado joven.

Y entiendo, recién ahora, el porqué de la ropa aburrida que los señores me compran en Londres. Hay que usarla. No tengo opción. No voy a permitir que estos tipos se rían de mí.

Comparto la habitación con mi abuelo. Es un piso muy alto, el quince, y desde el ventanal se puede observar sin dificultad la inmensidad marrón del Río de la Plata.

Lin An Bo está feliz.

Tanta agua frente a sus ojos lo pone feliz.

Ni siquiera abre su valija. No sale del pequeño balcón que hay justo detrás del ventanal. Está como hipnotizado. Extasiado. Me pregunta desde allí si mi padre disfruta del agua tanto como lo hace él. Le respondo que no lo sé, que vivimos muy lejos de este hotel, que no hay nada de agua en Glew, que sólo hay una plaza con algunos árboles y bancos de cemento, muy fea.

No creo que me escuche.

Sólo tiene ganas de mirar hacia el agua.

Ordeno mi ropa en los placares y luego ordeno la ropa de él, da la impresión de que no va a hacer mucho más que quedarse en el balcón durante los próximos cinco días. Después, aprovecho y voy al baño a probarme la pollera y la blusa y el saquito. También me ato el pelo por detrás con un lazo y me pongo los zapatos de tacos altos. Hay espejos en todas las paredes. Me miro de pie, cambio de posición, hago gestos, morisquetas, muevo los labios pintados como si hablara, sonrío, me pongo muy seria, me río a carcajadas. Me gusta lo que descubro de mí en el espejo. Parezco mucho más adulta. Una mujer. Sin ningún casi.

Salgo del baño así vestida.

Y camino, lo mejor que puedo hacerlo con esos tacos tan altos, hasta el balcón.

Lin An Bo no se da cuenta de mi presencia. Tiene la vista perdida en los infinitos reflejos que produce el sol sobre las mínimas olas del río. Y, aparentemente, ningún otro sentido despierto. Tengo que ingeniármelas para que se fije en mí. Me acerco a escasos centímetros y le señalo un velero que deambula en la dirección contraria a la que está mirando. Me escucha, de inmediato gira la cabeza y me pregunta adónde. Me pide que lo ayude, argumenta que no puede encontrarlo, que por favor. Entonces, me acerco a él todavía un poco más y se lo señalo con el dedo. Finalmente, al cabo de unos cuantos segundos, lo encuentra. Está exultante. Perdido de amor por el río. Y claro, así como está, es del todo imposible que se fije siquiera un instante en mí.

Renuncio.

Me doy por vencida y vuelvo a entrar en la habitación.

Sin embargo, apenas me siento en una de las sillas que hay amontonadas a un costado del ventanal con ganas de comenzar a escribir en el cuaderno, escucho que, sin dejar de mirar hacia el río, Lin An Bo me dice que estoy muy bella y muy hermosa y muy grande y que ya soy toda una mujer.

Dejo el cuaderno sobre la mesa.

Y voy a bañarme para estar todavía más linda y más mujer durante el almuerzo. Ahora, yo también estoy feliz. Mi abuelo, con sus pocas palabras, me hace olvidar todas las dudas que tengo por haber vuelto aquí tan pronto. Tanto que hasta canto un tango que aprendo para una fiesta de la escuela, hace muchos años, debajo del caliente chorro de la ducha.

Los señores empresarios elogian mi atuendo y mi novedosa apostura corporal a partir de los tacos altos durante el almuerzo. En varias oportunidades. Hasta que notan que me sonrojo. O hasta que notan que el exceso de elogios no pone contento a mi abuelo. No sé hasta cuáles de esos dos hechos, pero lo cierto es que, de repente, detienen sus excesivos elogios y comenzamos a conversar de aquello que debemos conversar.

Aprovecho, entonces, para comentarles el profundo disgusto que causa en los secretarios que nos buscan en el aeropuerto la decisión de no aceptar la traductora que nos asignan.

Chinos.

Jodidos.

Nena.

Mierda.

Les traduzco cada una de las palabras que escucho entre dientes en el preciso orden en que las escucho y ellos se ríen a las carcajadas. No les importa ni se enojan. Se nota que están muy acostumbrados a este tipo de encuentros de negocios. Luego, el gerente nos informa que enseguida después del almuerzo esos mismos secretarios vienen a buscarnos y comienzan las reuniones en el ministerio, me dice que no olvide llevar el cuaderno conmigo y que escriba en él todo aquello que me parezca significativo, que puede ser de mucha utilidad para el negocio o puede, al menos, darnos unos cuantos buenos motivos para reírnos durante la cena.

Mientras comemos el postre, mi abuelo toma la palabra por primera vez desde que llegamos. Le pregunta al gerente si sabe, ya, cuándo tenemos una mañana o una tarde libre, le ruega que no se olvide de que él necesita ir conmigo a visitar la tumba de Lin Jang Xian. El gerente le responde que todavía no lo sabe, que de acuerdo con su experiencia en estos asuntos es muy probable que el día libre sea mañana mismo, que la de hoy es una reunión difícil, bastante tensa, en la que se plantean las cuestiones fundamentales, y que, por lo general, los ministros se toman un día o dos para decidir algunos detalles que no les caen del todo bien o para comunicarse con sus superiores. Pero que todavía no lo sabe, repite, que debe esperar hasta la noche para estar del todo seguro.

El edificio en el que está ubicado el ministerio es muy antiguo. Está en pleno centro de la ciudad. Recuerdo vagamente haber pasado por la puerta en una de las salidas que hago con la escuela primaria. Ahora, estoy entrando. Rodeada de hombres importantes. Y vestida con la ropa y los zapatos que algunos de esos hombres me compran antes en Londres.

El mundo no parece el mismo.

Ni yo.

Lin An Bo no nos acompaña. Se queda en el hotel cuando nos buscan. Aunque promete ir de inmediato a recorrer la orilla del río. Cuando volvemos, lo encuentro encerrado en la habitación, a oscuras y no tan feliz como está durante la mañana. Me cuenta que si bien pudo andar por entre algunos canales, no encuentra la manera de llegar hasta el borde del río enorme. Le digo que ya voy a poder acompañarlo en algún momento del futuro de estos días, que si pregunto, seguro descubro la manera de llegar, que no se preocupe.

Recién ahí se queda más tranquilo.

Es como un chico, mi abuelo.

Desde que salimos de Suzhou se comporta como un chico. O yo, de golpe, me convierto en un ser bastante más adulto que él. Pierde su seguridad interior o yo la gano sin darme cuenta de cuándo la gano. No sé. Pasan cualquiera de esas cosas. O las dos al mismo tiempo.

Pero mejor dejo al abuelo y sus transformaciones y las mías y vuelvo a la reunión que tenemos en el ministerio.

No esperamos ni un minuto en la antesala. Nos hacen pasar apenas llegamos, nos saludamos, nos sentamos alrededor de una mesa larguísima, los chinos de un lado y los del ministerio del otro. El gerente me hace sentarme a su lado. Justo enfrente del ministro y de su traductora.

No estoy nerviosa.

Para nada.

En algún sentido, creo que disfruto de mi novedosa ubicación en el mundo. Mucho. La única lástima es que mi padre no puede ver lo bien que me queda este lugar y esta tarde.

La reunión es larga.

Eterna.

Y muy tensa, tal y como nos avisa el gerente, al mediodía, mientras almorzamos en el hotel. No anoto nada respecto de lo que traduce mi vecina de enfrente. Lo hace bien. Correctamente. Sólo escribo en mi cuaderno aquellos comentarios que deslizan nuestros interlocutores entre sí y que la traductora no tiene en cuenta. Sospecho que a la mujer le ordenan traducir sólo aquello que tiene que ver con la construcción del gasoducto, que le prohíben traducir las charlas internas que mantiene el ministro con sus secretarios más cercanos. Lo sospecho. No puedo afirmarlo. Tampoco sé si también le ordenan que traduzca aquellas conversaciones que mantiene el gerente con alguno de nosotros aunque no tengan que ver con el gasoducto. No lo sé porque el gerente, a diferencia del ministro, es más precavido y no hace ningún comentario interno a lo largo de toda la reunión.

Nuestro gerente es bastante más profesional que el señor ministro.

Noto eso de inmediato.

Y me gusta estar de este lado de la mesa y no del otro. Me encanta, en esta oportunidad, estar del lado chino.

Copio del otro cuaderno algunas de las frases que intercambia el ministro con sus secretarios y que la traductora no traduce:

¿Son o se hacen?

119

Quieren todo gratis.

Se pasan de vivos.

Me está tomando el pelo.

¿Se piensa que somos boludos?

Conmigo no van a jugar.

Les estamos dando todo y no nos quieren dar nada a cambio.

Así no son los negocios.

Me parece que van a volverse a China con las manos vacías.

Les voy a hacer pagar hasta el hotel, a estos chinos de mierda.

No saben con quién están tratando, no tienen ni idea.

Cuando ellos van, yo ya vuelvo.

Al gerente le parecen muy bien mis anotaciones. Se ríe. Y me felicita. Me confiesa que para eso es para lo que me trae, que le sirve de mucho enterarse de todo lo que dicen y no sólo de lo que le hacen traducir a la traductora que pagan ellos; que mi trabajo le sirve de mucho para definir un montón de cuestiones, por dónde ir o no ir, hasta dónde tirar de la cuerda, cuándo ceder un poco o cuándo ponerse todavía más duro.

Soy una verdadera china, afirma.

Pero yo no le creo.

No me parece que sea tan fácil ser una china como las demás chinas que nunca viven casi diez años en Glew. Recuerdo que unas semanas atrás empieza el año nuevo. Termina el año de la serpiente y da comienzo el año del caballo. Una novedosa experiencia para mí. Nunca antes, desde que me acuerdo, estoy en China para las fiestas del año nuevo. El primer día lo paso con mis abuelos paternos, en Suzhou. Comemos muchas cosas ricas y, por la noche, bajamos los tres a la calle, caminamos unos cuantos metros hasta una plaza pequeña y allí Lin An Bo saca de un bolso por lo menos una docena de fuegos artificiales. También hay otro montón de gente haciendo lo mismo cerca de nosotros. Mi abuelo prepara un sitio para los fuegos y enseguida invita a Lin Shi a lanzar uno de ellos hacia el cielo.

Lin Shi está muy seria.

Y vive ese momento enteramente sola.

Muy a pesar de nosotros dos y del resto de la gente que inunda la pequeña plaza. Ensimismada, como sospecho que yo jamás puedo ensimismarme ni esa noche ni ninguna de las noches del futuro. Además, ella no es la única que lo vive de esa forma, todas las personas que observo en mis alrededores lo viven con igual intensidad.

Yo no.

Yo no puedo.

Mientras comemos, la tarde anterior a esa noche, Lin An Bo se toma el esforzado trabajo de introducirme dentro del espíritu de la fiesta. Me explica el humo que sube, me cuenta de los infinitos deseos humanos y de la escasa fortuna respecto de ellos, que el humo atrae la abundancia. Luego, se detiene especialmente en la comunicación que mantenemos con los habitantes celestiales a partir de esos raros dibujos grises oscuros ascendentes.

Por ejemplo con tu padre, Su Nuam.

Me asegura.

Sin embargo, yo no puedo. Miro los fuegos en el cielo. Son maravillosos. Me encantan. Disfruto de los colores, de los ruidos. Después enciendo aquel artefacto que Lin An Bo destina para mí. Y lo intento con todas mis fuerzas. Soy lo más seria que puedo ser. Me guardo dentro de mí misma lo que puedo guardarme. Incluso, imagino alguna posible e íntima conversación con Lin Jang Xian. Deseo cosas. Las pido. Pero no siento que me ocurra nada.

A la mañana siguiente, viajo en tren a Beijing.

Estoy con mi madre y con mis otros abuelos, los maternos, tres días enteros con sus tres enteras

122

noches. De día comiendo y de noche lanzando al cielo fuegos artificiales. Y me ocurre lo mismo. Exactamente lo mismo. Hasta llora mi madre, una de esas noches, a partir de la emoción del momento. Yo, en cambio, no siento nada en mi interior. Lo juro. Absolutamente nada de nada.

Entonces, lo de siempre.

¿Soy china?

Durante la cena, hace un rato, el gerente nos avisa que, mañana, mi abuelo y yo tenemos el día libre. Según su criterio y según lo que sugieren mis minuciosas anotaciones durante la reunión, no hay ninguna probabilidad de que nos inviten tan pronto a un nuevo encuentro. Afirma que va a pasar al menos un día o dos hasta que llegue la próxima invitación, que hagamos tranquilos lo que queremos hacer. Aunque, de todas maneras, me da un teléfono celular para que lo lleve conmigo. Por las dudas, me dice, por si se produce alguna inesperada invitación de última hora. Si eso ocurre, me avisa, entonces él me llama de inmediato.

Un día difícil, el día de mañana.

Demasiadas cosas hay en mi cabeza.

Glew. Otra vez Glew. Salimos temprano, en un taxi. Hay suficiente dinero y no tengo ninguna intención de viajar apretada y llegar de malhumor al pasado. Me alcanza con la tristeza, no quiero también enojarme. No voy vestida de traductora, voy vestida de chica normal, no deseo llamar la atención en el barrio donde habito durante diez años. Lin An Bo casi no habla. Observa con algo de desesperación todo aquello que le permite observar el hueco de su ventanilla.

Ignoro lo que piensa.

No hace el menor comentario acerca de lo que observa con tanta avidez.

El viaje se hace largo. No hay nada de agua a nuestro alrededor. Y sospecho que mi abuelo no deja de preguntarse por qué su hijo elige para vivir un sitio tan apartado del enorme río marrón. No lo sé con seguridad. Sólo intuyo sus pensamientos a partir de ver cómo se aferra cada vez con más ganas al bolso donde lleva la ropa de Lin Jang Xian que va a quemar.

Unos minutos antes de arribar al cementerio de Almirante Brown, finalmente me animo y le informo que no voy a participar de la ceremonia, que les voy a dar una propina a los encargados del lugar para que lo dejen hacer la fogata, que voy a saludar a mi padre brevemente y voy a aprovechar para visitar un rato a Yamila, mi mejor amiga de la escuela, que su casa no queda lejos del cementerio, y que, al cabo de un par de horas, lo paso a buscar; que me espere junto a la tumba de mi padre, que no vaya solo a ningún lado, que no quiero que se pierda, que por favor.

Acepta mi propuesta sin objeciones.

Creo que hasta le agrada el hecho de poder incendiar a solas aquello que quiere incendiar para que mi padre esté más cómodo y no pase frío en las alturas.

Me cuesta bastante convencer a los guardias del cementerio del rito milenario que quiere realizar mi abuelo tan lejos de la región del mundo en donde se suele llevar a cabo. Me cuesta en discusiones y también me cuesta en dinero. De todos modos, por fin acceden. No hay motivo para que no lo hagan: en el cementerio, a esa hora, no hay nadie más que ellos y nosotros.

Lo acompaño por entre un laberinto de muertos hasta el sitio donde yace Lin Jang Xian.

Y me quedo unos minutos, cuando llegamos.

Me emociono y lloro. No entiendo por qué mi padre ahora se encuentra allí y no está atendiendo a los clientes en el supermercado. No entiendo la muerte, me parece. Ni tampoco entiendo demasiado la vida.

Después me voy.

Lo dejo a solas con Lin Jang Xian.

Pienso en la posibilidad de ir a visitar a mi profesora de castellano para hacerle algunos reclamos. Pero no sé dónde vive. Entonces, me voy caminando, despacio, hasta la casa de Yamila. Preguntándome demasiadas cosas. Respondiéndome casi nada.

Me gusta volver a encontrarme con mi mejor amiga. Tenemos un montón de asuntos de los que hablar. Yamila me cuenta de un novio que tiene y yo le cuento de las ranas, los sapos y las culebras de China. El novio es rubio y unos cuantos años mayor que ella, estudia en la universidad. Yo le hablo de la ropa que me compran en Londres y de mi trabajo de traductora espía. El novio es bueno y la quiere. Mis abuelos paternos también son buenos y también me quieren.

Nos reímos.

La pasamos muy bien juntas.

Justo cuando estoy por irme llega su padre. Me da un beso y me dice que lamenta mucho lo de mi padre. Enseguida, le pide a Yamila que le traiga un vaso con algo fresco para tomar de la heladera y se queda a solas conmigo.

Es una excusa, claro.

De inmediato, me entrega su número de celular y me cuenta lo que ya sé, que es miembro de la barra brava del club de fútbol Lanús. Y muy rápido, antes de que vuelva Yamila de la cocina, me comenta que ellos hacen todo tipo de trabajos, que hasta donde sabe, los dos muchachos vecinos al supermercado tienen bastante que ver con lo que le ocurre aquella tarde a mi padre, que si necesito de sus servicios no tengo más que llamarlo, que no me va a salir muy caro, que apenas unos pocos dólares, que no tema, que saben hacer muy bien su trabajo, que tienen experiencia, que queda a mi entera disposición para lo que guste mandar, que por favor no deje de llamarlo si lo necesito.

Uf.

Por suerte, antes de que reviente de los nervios, vuelve Yamila y me libera de las infinitas palabras de su padre.

Nos despedimos, lloramos un poco en medio de un larguísimo abrazo y vuelvo caminando hasta el cementerio. Asustada. Repleta de temores. Con muchas más preguntas que antes. Y con menos respuestas todavía.

Lin An Bo, obediente, me espera sentado junto a la tumba de mi padre. El olor de la quemazón todavía se respira en el ambiente. Incluso veo una importante mancha negra en el piso. Parece más despierto, mi abuelo. Más contento. Y eso lo pone locuaz. Ya es mediodía, entonces lo invito a comer en una parrilla que conozco por ahí cerca. Me dice que sí, que por supuesto, que quiere probar la carne de vaca de aquí, que mi padre le habla de eso, hace mucho tiempo. Y que también le habla del vino tinto, que lo va a probar si yo se lo permito.

Le respondo que se lo permito, claro.

Y nos vamos.

Caminando, muy juntos, casi pegados el uno al otro, hasta la parrilla. Aprovecho que está tan abierto al mundo y, enseguida después de encargarle al mozo asado para dos y una buena botella de vino tinto, le pregunto si acaso ya se siente en paz, que lo noto más contento, más alegre. No, no estoy contento ni alegre, me contesta, sólo estoy en paz conmigo mismo: ahora sé que mi hijo está más cómodo, que no pasa frío, que no le falta nada allá arriba.

Y no se detiene ahí.

Sigue.

Me habla de la paz. Dice que hay una única paz posible, la paz con nosotros mismos, que lo demás es cuento, que el mundo de los otros es inmanejable, no es nunca pacífico, que es una tontería aspirar a lo que no se puede conseguir; que los chinos no somos así, que los chinos sólo imaginamos aquello que luego, algún día del futuro, podemos hacer realidad. Entonces le cuento que estoy asustada, que quedo muy asustada desde la visita a mi amiga, que me asustan los dichos de su padre, que a veces el mundo me da miedo.

Llega el mozo con la comida.

Y el vino tinto.

Lin An Bo se lanza de inmediato sobre las costillas asadas, las disfruta, no levanta la vista del plato que tiene enfrente. Sólo lo hace, muy de vez en cuando, para tomar un largo trago de vino tinto. Parece olvidarse para siempre tanto de mi susto como de sus ganas de hablar.

Pero no.

No se olvida.

Termina de masticar sus costillas, se limpia la boca con una servilleta de papel, toma un trago bastante más largo que los anteriores de vino tinto y me mira. El miedo, susurra. Como poniéndole un título a lo que va a argumentar inmediatamente a continuación. El miedo es normal, Su Nuam, lo padecemos todos los seres en algún momento. Todos. Hasta los bichos de mis palanganas. Sin embargo, creo que existe una diferencia fundamental entre el susto del resto de los animales y el susto de nosotros, los seres humanos. Los animales tienen miedo de lo que les puede ocurrir, nosotros, en cambio, tenemos miedo de lo que podemos ser capaces de hacer. Aunque parezca otra cosa, siempre sucede así. Y eso porque en el centro mismo del asunto están las palabras, justo en el centro.

Lin An Bo hace una pausa para tomar otro larguísimo trago de vino.

Yo no digo nada, sólo quiero seguir escuchándolo.

Las palabras son la diferencia entre los animales y nosotros. Decirlas. Pero, sobre todo, escucharlas del otro, comprenderlas. Y luego pensarlas. No nos asusta lo que diga que puede hacer ese otro, nos asusta el hecho de saber que si ese otro puede hacerlo, también nosotros podemos; a fin de cuentas, somos de la misma especie, poseemos sus mismas habilidades y pensamos en palabras, igual que lo hace él.

Cuando sentimos miedo, sentimos miedo de nosotros mismos, Su Nuam.

Siempre.

Terminamos de comer, pago la cuenta y, mientras estoy pagando, le pido al mozo que por favor nos llame un taxi. Al rato, lo tomamos. Pero no volvemos al hotel. Lin An Bo me sorprende por enésima vez: quiere que lo lleve a conocer el sitio en donde trabaja mi padre hasta el último de los días de su vida.

Y allá vamos.

Después de la charla que mantenemos comiendo el asado, no puedo negarme a nada de lo que desee mi abuelo paterno.

Aunque me cueste.

Y mucho.

La geografía se hace cada vez más familiar a medida que avanzamos. Reconozco los edificios, los olores, la manera en que se desplaza la gente por las calles, los saludos, los gritos. Tantas cosas de mi pasado, reconozco. Cosas que duelen. Y me cuesta todavía un poco más entender el sentido de la vida cuando el taxi comienza a bordear la plaza. En el momento en que el taxi por fin se detiene frente a los restos del supermercado, ya estoy llorando.

Lin An Bo no se fija en mis lágrimas.

Baja y camina por el lugar.

Va de un lado para el otro. Yo, mientras tanto y en medio del llanto, me las arreglo para pedirle al taxista que nos espere, que son unos pocos minutos, que enseguida nos debe llevar hasta un hotel en Puerto Madero.

Me bajo del coche.

Yo también.

Sin embargo, no poso los ojos sobre los restos del supermercado teñidos de negro. Prefiero mirar hacia la plaza desde el sitio exacto en que la miro durante años sentada sobre un cajón de maderas. Una manera menos dañina, me parece, de plantarse frente al pasado.

La fealdad de la plaza sigue ahí.

Intacta.

Invencible.

Yo no. Yo ya no soy la misma. Aun sin mis zapatos de tacos altos, ya no soy la misma. Lo noto en la falta de pertenencia: ni los bancos ni los árboles gastados ni la falta de pasto me hablan de mí. La fealdad está ahí, como está desde siempre, pero no significa lo mismo. No es una parte de mí. No, al menos, de la que soy ahora mismo.

No me importa.

Y, como no me importa, poco a poco las lágrimas se van secando.

De repente, recuerdo que vengo hasta aquí con mi abuelo paterno, me doy la vuelta y lo encuentro junto a los dos muchachos vecinos. Ellos le hablan, se ríen. Lin An Bo no les responde, no entiende. Por eso me acerco lo más rápido que puedo hasta donde están reunidos. No quiero que se relacione con esos dos. No lo quiero por nada del mundo.

Lo tomo de un brazo.

Hasta con cierta violencia.

Le pido que nos vayamos, que el taxi nos espera, que ahora mismo, que por favor. Él se resiste. No comprende lo que me ocurre. Entonces, le explico que esos dos no son gente sana, que son lo peor de lo peor, que debemos alejarnos de ellos.

Sonia, ¿van a abrir otra vez el súper?

Me preguntan.

Yo no les contesto. Ni los miro. Sólo tiro, todavía con más fuerza, de una de las mangas de la camisa de Lin An Bo. Pero ellos insisten. Si vuelven a abrir el súper, van a tener que ser más generosos con la gente del barrio. Dicen eso y, encima, los escucho reír a carcajadas. Los dejo que se rían. No les respondo. Termino de meter a mi abuelo dentro del coche y le pido al chofer que salga de allí cuanto antes, que nos lleve a Puerto Madero, que acelere, que esos dos tipos son muy peligrosos, que quieren robarnos, que etcéteras y etcéteras.

Pero me cuido de no contarle quiénes son a Lin An Bo.

No todavía.

Lo hago más tarde, mucho más tarde. Recién cuando estamos entrando en la habitación del hotel. Tengo miedo, en el momento de la huida, de que reaccione y quiera vengarse de ellos. Tengo mucho miedo por él y por lo que se le ocurra hacer. ¿O acaso tengo miedo de mí misma? No lo sé. Cuando se lo cuento, ya en el hotel, Lin An Bo no dice nada. No reacciona. Se va de inmediato hasta el balcón a mirar el río. Y se queda allí el resto de la tarde.

Odio a esos dos tipos.

Y tengo mucho miedo de mí.

Ya es de noche. Durante la cena, el gerente nos informa que adelanta el regreso a la China en un día. Ahora nos vamos el viernes por la tarde y no el sábado. Formas de presionar, explica. Adelanto la vuelta y me encargo de que el ministro se entere de que adelanto la vuelta.

Lo miro extrañada.

No comprendo.

El gerente sonríe. Me dice que los buenos negocios suceden de modos bien distintos a como suceden las traducciones: no se puede esperar, hay que estar un paso adelante, siempre hay que jugar antes que la otra parte; con las traducciones, en cambio, pasa exactamente lo contrario, no se puede traducir lo que todavía el otro no dice. Somos muy diferentes, Lin Su Nuam. Por eso nos necesitamos

137

tanto. Mañana tenés que estar bien despierta, es importante para el éxito final.

¿Mañana?

Le pregunto.

Sí. Mañana. Todavía el ministro no nos llama para la segunda reunión, no puede; supone que si nos llama ahora, nos da más tiempo para preparar el encuentro. Pero lo hace mañana por la mañana. Con toda seguridad. Por eso, esta noche tenés que dormir mucho. Para estar bien despierta mañana, muy temprano.

Lin An Bo está ausente durante la cena.

No participa.

No está en la mesa, literalmente. Su cabeza anda por otros sitios, lejos de nosotros. Ni habla ni nos escucha hablar a nosotros. Me da lástima verlo así. Sospecho que tiene que ver con lo que ocurre a lo largo de ese día. El cementerio, el humo de la ropa que quema, el posterior encuentro con los dos muchachos en Glew. O, quizá, toda la culpa de su silencio la tenga mi cuento tardío de aquello que esos dos muchachos me dicen en la puerta del supermercado.

Tampoco habla cuando volvemos a la habitación.

Ni una palabra.

Visita un rato el balcón y enseguida se acuesta a dormir.

Lo veo tan descompuesto que dejo el cuaderno sobre la mesa, me acerco hasta su cama y le prometo que apenas tengamos un poco de tiempo libre voy a acompañarlo hasta la orilla del río enorme; le digo que estoy convencida de que tiene que haber una manera de llegar hasta la costa y que juntos la vamos a encontrar.

No me contesta.

Sólo me acaricia la mano con uno de sus dedos.

Su caricia me alcanza. Apenas. Pero no me sobra. De inmediato, recuerdo que todavía tengo el teléfono celular que me deja el gerente esa mañana. Entonces, espero a que Lin An Bo se duerma, me pongo los tacos altos para sentirme más adulta, y hago la llamada que debo hacer.

Somos los últimos en bajar a desayunar. Cuando llegamos, ya están todos allí. Apenas sentarnos, el gerente me avisa que a las diez de la mañana nos esperan para una segunda reunión en el ministerio, que me ponga mi ropa de traductora y que tenga listos mis oídos y mi cuaderno.

Lin An Bo está mejor.

Me cuenta que va a volver a intentar llegar hasta la orilla del río por su propia cuenta, que no puede ser tan complicado.

Tomo rápido un café con leche y subo a la habitación a cambiarme y a pintarme. Comienza a gustarme la pintura de los ojos. No tanto el tema de los labios, me queda un gusto molesto. Pero el asunto de los ojos me gusta, es una tarea que implica concentración y cierta destreza. Y la transformación es gigante. Soy otra, una vez que estoy pintada. Una mujer, según mi abuelo, que me observa de reojo a un costado de la escena.

Suena el teléfono.

Es el padre de Yamila.

Me pide dos mil dólares por el trabajo. Me explica que habla con sus amigos de Lanús y que por menos de dos mil dólares no lo hacen. Le digo que no tengo tanto dinero, que acabo de contar hasta el último billete y que sólo tengo ochocientos setenta. Me contesta que es una lástima, que no alcanza, que lo lamenta mucho pero entonces no hace el trabajo.

Y corta.

Sin siquiera despedirse.

Me da rabia que el dinero sea tan importante para todo. Me da mucha rabia y de la rabia me muerdo sin querer el labio inferior. Me lastimo y corro hasta los espejos del baño para mirarme. Mi abuelo me acompaña porque nota mi malestar, me dice que no es nada, que la herida casi no se ve, que me ponga un poco más de lápiz labial encima, que nadie se va a dar cuenta.

Me contiene.

Y yo lo abrazo, creo que por primera vez en toda mi vida.

A él le cuesta un montón lo inesperado de mi abrazo. Sus músculos se ponen rígidos. Está incómodo. Resulta evidente. Tanto que, casi de inmediato, me saluda desde la puerta y sale de la habitación en busca de la manera de llegar, por fin, hasta la orilla del río.

La segunda reunión no es tan tensa como la primera. Es más distendida. Las caras parecen más blandas y los gestos más calmos, menos exagerados. En esta oportunidad, yo no me siento al lado del gerente. Me ordenan que vaya a sentarme en uno de los extremos del lado que nos toca de la mesa. Al gerente se le ocurre que ése es un mejor lugar para desarrollar mi tarea, que si no me tiene tan presente, si no me ve cada vez que levanta sus ojos, en algún momento de la mañana el ministro va a terminar por olvidarse de mi presencia y entonces va a alargar un poco más la lengua con sus allegados.

La pelea es por un porcentaje.

El gerente no quiere regalarlo.

O, al menos, parece no querer hacerlo. La gente del ministro propone entonces como opción que unas compañías constructoras con las que ellos tienen buena relación sean parte en los contratos de la obra. Se trata de empresas amigas, apuntan. Empresas con las que luego ellos pueden entenderse con alguna facilidad.

143

No anoto nada en mi cuaderno.

Durante un rato largo.

Durante todo el tiempo que el ministro supone que están llegando a un feliz acuerdo. Pero no. De repente, todo cambia. Mi gerente se niega a aceptar que esas otras empresas sean parte de la obra. Ahí anoto varias frases. Un montón. El ministro está enojadísimo. Y no lo disimula. Incluso hace el gesto muy comprensible para todos de que quiere levantarse de la silla y dar por terminada, para siempre, la reunión.

Sin embargo.

No lo hace.

Se queda sentado. Esperando, da la sensación, a que mi gerente abra la boca y proponga cómo seguir adelante después de tamaña negativa. Eso tarda, claro. El gerente se toma algún tiempo en silencio. Creo que ni siquiera mueve el músculo más pequeño de su cara. Parece de hierro. O una estatua, mejor. Y los segundos transcurren. Eternos.

Al cabo, ofrece un porcentaje.

Es menos de la mitad de lo que en la reunión anterior piden los señores del ministerio.

Hace su oferta y, de inmediato, tengo que escribir casi dos páginas de los feos dichos que escucho en los alrededores. Hay mucho enojo en el lado de enfrente de la mesa. Mucho. Y yo lo anoto

144

todo con lujo de detalle. Por supuesto, la reunión termina. Sin despedidas ni amabilidades. El ministro se retira y detrás lo siguen, casi corriendo, sus numerosos acompañantes. Enseguida, también lo hacemos nosotros.

Justo cuando nos sentamos a comer, llega de su paseo Lin An Bo. Sigue apesadumbrado. No habla con nadie y casi no come. Se lo ve muy triste y sé que debo hacer algo de manera urgente para que cambie su humor. Por eso, a los postres, me acerco hasta el gerente y le pregunto si tenemos alguna reunión prevista para la tarde. No, no, hoy no hay reunión posible, me informa. Los señores necesitan de un cierto tiempo para sanar las heridas que les deja la negociación. Vos misma anotás en tu cuaderno la profundidad de esas heridas; muchas gracias, Lin Su Nuam, tu aporte es importante para el éxito final del negocio. La financiación de la obra la conseguimos nosotros. La financiación es el dinero y el dinero es el que manda. Siempre. Mañana es la reunión. No les quedan más días, el viernes ya volvemos a China. No tienen opciones. A última hora de la tarde de mañana es la reunión, para ser del todo preciso. Al menos, eso es lo que yo hago si estoy del otro lado de la mesa.

¿Puedo entonces llevar a mi abuelo de paseo? No lo veo bien, creo que lo necesita.

Por supuesto. Pero no te olvides de llevar contigo el celular. Por las dudas.

No me olvido. No sólo no me olvido sino que recuerdo, en ese instante, que tengo conmigo un teléfono con el cual todavía puedo hacer o recibir alguna llamada que me importa.

Pregunto a uno de los conserjes del hotel cómo tengo que hacer para llegar hasta la orilla del río. Me informa que puedo tomar un taxi hasta el aeroparque metropolitano o puedo ir caminando hasta la fuente de Lola Mora, que está muy cerca, y ahí, justo enfrente, ingresar a la reserva ecológica, que adentro hay que andar un buen trecho pero que vale la pena, que es muy lindo.

Caminamos hasta la reserva, entonces.

Sin hablar demasiado.

Lin An Bo no está bien. Sin embargo, a medida que nos internamos en la reserva ecológica, su cara y su actitud comienzan a cambiar. Levanta el mentón, abre bien los ojos, gira hacia un lado y hacia el otro la cabeza y hasta se le despegan un poco los labios. Camina cada vez más rápido. Me cuesta seguirlo. Debe oler el río. O imaginarlo.

Le pido que nos sentemos un momento en un banco que hay a un costado del sendero de piedras por el que andamos.

Estoy cansada.

Entonces se detiene y me siento. Pero él no lo hace. Continúa de pie, mirando los árboles, los pájaros que cantan sobre las ramas de esos árboles y el futuro del camino. Me levanto de inmediato. Se ve que tiene mucha necesidad de arribar hasta la orilla. Incluso, algo de desesperación.

Suena el teléfono.

Atiendo.

Es el padre de Yamila. Me comenta que esta madrugada habla otra vez con sus amigos de Lanús y que por mil dólares están dispuestos a incendiarle la casa a esos dos muchachos. Con ellos adentro, especifica. Le digo que ahora sólo me quedan ochocientos cincuenta y que tiene que ser hoy o mañana a más tardar, que el viernes por la tarde vuelvo a China.

Corta.

Sin despedirse.

No me importa. Si quiere cortar que corte, si quiere enojarse que se enoje. Los tacos altos, las pinturas, el lápiz de labios y la ropa modifican de algún modo para siempre aquello que soy. Aunque ahora mismo no los tenga puestos. Además de que

147

en las reuniones aprendo un montón junto al gerente. El dinero es mío y el dinero es el que manda. Si el hecho se va a dar, tiene que darse en los términos que yo lo decida. Y punto.

Sentados los dos sobre un tronco gordo y seco, finalmente a orillas del Río de la Plata, mantenemos mi abuelo paterno y yo una larguísima conversación. La conversación más bella y más útil que tengo en la vida hasta el día de hoy.

Al principio, un Lin An Bo con los ojos fijos en el marrón e inusualmente verborrágico me habla del agua.

Dice que ignora casi todo de ella, que lo único que sabe a ciencia cierta es que la necesita para vivir. No para tomarla como el resto de la humanidad, aclara. Necesita verla, palparla, habitarla de algún modo. Le resulta imprescindible tenerla cerca. Agrega que su relación con el agua se parece mucho al amor. Amo el agua. A vos no te ocurre todavía el amor, Su Nuam, pero creeme que cuando te ocurre, te ocurre de esa manera: lo ignorás todo del otro, sólo sabés que lo necesitás para vivir.

A mí me ocurre el odio, le digo.

Odio a aquellos que mataron a mi padre.

Si el amor es lo que creo que es, supongo que

el odio tiene que ser su contrario más exacto. Sin embargo, si te fijás bien, el origen de ambos sentimientos es el mismo: la ignorancia. Amamos y odiamos aquello que no conocemos, sólo pasa que el amor nos acerca y el odio nos aleja de ese otro desconocido. No estoy seguro de que odies, mi nena. Quizá no comprendas, aún, el desorden del mundo. Lo que te duele es el desorden: que un día cualquiera, por ejemplo, unos tipos asesinen a tu padre y que esa modificación enorme en tu universo no tenga razones valederas. Y no tenga, sobre todo, siquiera castigos. Los castigos, las penas, de algún modo reponen el orden perdido. También los premios, en determinadas circunstancias. Es la forma que encuentran los seres humanos, allá lejos y hace tiempo, de organizar el caos de su existencia.

Yo los odio.

Juro que odio a esos tipos.

No lo creo. Estoy convencido de que expresás muy mal aquello que sentís. Me da la impresión de que amás la justicia y, porque la amás, no soportás su ausencia. Simplemente eso.

¿Entonces?

Entonces debes ser fuerte, muy fuerte. No tienes que resignarte, querida. Debes buscar y encontrar la justicia. Debes intentar por todos los medios reponer aquel sano orden perdido.

149

¿Vengarme?

La venganza es el modo antiguo de llamar a la justicia. Una posibilidad anterior, bastante menos civilizada y muy mal vista, de la justicia. Suena mal en los oídos. Aunque, en el fondo, ambas palabras y las acciones que conllevan resulten extremadamente parecidas.

Volvemos al hotel caminando en silencio. Yo no abro la boca porque tengo muchas dudas acerca de lo que hablamos. Dudas acerca de lo que yo entiendo de aquello que Lin An Bo me dice a orillas del río, sobre todo.

Y no sé por qué mi abuelo tampoco habla.

Quizá ya extrañe el agua.

De hecho, está en el balcón desde que llegamos a la habitación.

El ambiente durante la cena es de fiesta. El grupo está muy feliz, hay risas, demasiado vino y los brindis parecen no querer terminarse nunca. Deben saber algo que yo no sé.

Por eso.

Les pregunto.

Me responden que no, que no saben nada más de lo que yo sé; que asistimos a las mismas reuniones, que escuchamos las mismas cosas y que, incluso, yo hasta escucho bastante más de lo que ellos escuchan.

Afirmo, entonces, que no entiendo tanta alegría.

Ellos se ríen de mi incomprensión.

A carcajadas.

Están convencidos del inminente éxito de la misión y suponen que mis dudas tienen que ver con mi escasa experiencia en materia de negocios, que ya voy a verlo, que no tema y que aprenda a disfrutar cuando hay motivos para disfrutar, que es importante, que muchas otras veces se pierde y las pérdidas no permiten los brindis.

Así que.

Me pongo de pie sobre mis tacos altos y brindo con ellos.

Claro que, enseguida después de brindar, me vuelvo a la habitación. Me cuesta participar de su alegría. Me cuesta una enormidad. Estoy esperando una llamada que nunca llega.

Y no llega.

Me voy a acostar. No tiene ningún sentido seguir esperando algo que no va a ocurrir. Lin An Bo ya duerme desde hace un buen rato en la cama de al lado. Recuerdo las palabras del gerente: muchas otras veces se pierde y las pérdidas no permiten los brindis.

No alcanzo a desayunar. Apenas bajo, el gerente me pide que vaya a vestirme de traductora adulta, en una hora nos esperan en el ministerio.

Lo hago.

Con gusto.

Cada vez me gusta más ponerme mi ropa de Londres y mis tacos. Ya es jueves. Mañana mismo nos vamos.

En esta oportunidad, la reunión no es ni tensa ni distendida. Es distinta. Más franca. Más sincera, dentro de lo que cabe. El ministro toma la palabra enseguida de sentarnos en nuestros respectivos puestos y asegura que necesitan por lo menos dos puntos más de ayuda para concluir el negocio, que no son para él, que él no es ningún ladrón,

153

que es para hacer política, y que hacer política es la única forma de poder ganar elecciones y seguir construyendo gasoductos. Mi gerente le responde que entiende perfectamente la situación, que él no es ningún necio, pero que esos dos puntos que le reclama son fundamentales para su empresa; que ganar dinero es el único modo que encuentra su empresa para seguir, en el futuro, construyendo más gasoductos; que los ocho puntos que ya se comprometieron a ceder le parecen más que suficientes para la política, que dos puntos más sería un despropósito.

No discuten.

Ni se enojan.

El ministro pide un cuarto intermedio. Hasta las tres de la tarde. Para que ellos puedan consultar a sus superiores, aunque avisa que no cree que la cosa, así como está, llegue a buen término. También le pide a mi gerente que vuelva a estudiar las posibilidades de ese dos por ciento extra. Mi gerente, en cambio, no le pide nada. Se levanta, el resto de nosotros lo imitamos y nos vamos en silencio.

La reunión es muy corta.

No anoto absolutamente nada en mi cuaderno.

Y tampoco sigo escribiendo en éste. Es la hora de comer. Y me muero de hambre.

154

No me cambio de ropa para almorzar, no vale la pena. Tampoco me quito el maquillaje ni me saco los zapatos de tacos altos. Ya los manejo muy bien. Hasta con naturalidad, creo. Me siento mejor con ellos puestos, más segura: una gigante en un mundo de enanos difíciles.

El grupo está tranquilo.

Muy calmo.

Casi no conversamos. Solamente al final, el gerente se pone de pie en una de las cabeceras de la mesa y nos cuenta a todos que acaba de tomar la decisión de entregar otro punto. Por las dudas de que se caiga el negocio. La orden de sus jefes en China es hasta un diez por ciento y le parece un éxito que volvamos con un nueve. Uno por ciento es un montón de dinero, señala. Para ellos y para nosotros.

Pero dice algo más todavía.

Algo que me involucra.

No quiere más cuartos intermedios ni más dilaciones. Por eso, cuando nos den la orden de entrar en las oficinas del ministro, la única que entra voy a ser yo. Tengo que entrar e informarles en perfecto castellano que decidimos darles un punto más, que es un esfuerzo que compromete nuestra rentabilidad pero que estamos dispuestos a hacerlo en beneficio del éxito de las políticas que lleva adelante el señor ministro y su gobierno.

No debo sentarme.

Debo mantenerme de pie con la mirada fija en el ministro.

Y agregar, enseguida, que nuestra delegación espera afuera, que va a ingresar sólo si es factible firmar los papeles para realizar el gasoducto, que lo demás es una pérdida de tiempo para todos.

Toda la mesa aplaude la iniciativa del gerente. Toda la mesa menos yo, claro. Ya no me siento tan gigante sobre mis zapatos como hace un rato, ni los veo a los demás tan enanos. Sin embargo, trato de no demostrarlo: pido permiso para ir a retocarme un poco el maquillaje y el peinado en el baño antes de que salgamos. Tanto aparento, que hasta me animo a un chiste camino del baño: les digo, en medio de una sonrisa, que quizá tarde un rato en el baño, que es la primera vez que sé que no se van a ir sin mí.

Todos se ríen.

Al rato, entro en las oficinas del ministro y repito cada una de las palabras que el gerente me dicta hacia el final del almuerzo.

Hablo con aplomo.

Segura de mí misma.

No me equivoco ni me importa el desconcierto de la mesa de hombres que estoy enfrentando. Lo digo de un tirón, sin bajar la vista.

Después, espero la respuesta.

El silencio es absoluto.

Y dura segundos eternos.

Comienzo a flaquear. Tengo ganas de salir de allí corriendo. Largarme a llorar y no parar hasta la cama del hotel. Tengo ganas de gritar, de agarrarme los pelos. Tengo ganas de cualquier cosa que no sea estar allí de pie, sola, esperando una respuesta que parece no querer llegar nunca.

Sin embargo.

No hago nada de eso.

Espero de pie, firme, casi sin pestañar. Hasta que, por fin, el ministro se decide a hablar: dice que está de acuerdo con la propuesta, que por favor haga pasar a la comitiva, que enseguida prepara los papeles para poder firmarlos.

Lo escucho con atención.

Y mientras lo escucho, me dan deseos de reírme, de gritar de alegría, de correr, otra vez, pero en esta oportunidad no hasta la cama del hotel sino hasta el salón en donde esperan mis compañeros de viaje. Aunque tampoco hago nada de eso. Me comporto como la nueva adulta y gigante que estos últimos días crece en mí.

Salgo.

Caminando lentamente.

Dándole la espalda a la multitud que queda en la mesa. Estoy muy nerviosa. Creo que sólo tengo oídos para lo que comenta alguno de los ayudantes del ministro: linda, la chinita, y habla muy bien, parece de acá. De inmediato, recuerdo a mi profesora de castellano. Y me sonrío. Ellos, por suerte, no pueden verme sonreír. Ni recordar.

Luego, se firman los papeles, se dicen palabras muy bonitas, se felicitan los unos a los otros, se dan las manos y salimos.

Lin An Bo no está en el hotel cuando regreso. Subo a la habitación, me quito el maquillaje, me cambio la ropa y salgo a buscarlo. Creo saber dónde puedo encontrarlo.

Y no me equivoco.

Está sentado a orillas del río, sobre el mismo tronco del día anterior, mirando hacia el agua marrón. Me quedo un rato observándolo, sin que lo note, a unos diez o quince metros de distancia de su espalda. No hace casi nada. No se mueve. Solamente, cada tanto, arroja alguna pequeña piedra o terrón de tierra hacia el río. ¿Está feliz? ¿Está triste? ¿Se siente solo? No lo sé. Y como no lo sé y tampoco aguanto más los deseos de contarle lo bien que me va en la reunión con el ministro, lo toco en el hombro para que no se asuste y enseguida me siento a su lado.

Le cuento.

Hasta el menor de los detalles de mi actuación frente a esos señores.

También le cuento que, luego, el gerente me lleva aparte, me da quinientos dólares extras y me asegura que está feliz con mi trabajo, que va a recomendarle a la empresa que me tome, que en tres meses, apenas cumpla los dieciséis años, seguro que ya comienzo a trabajar todos los días con ellos.

Estoy feliz.

Y mi abuelo también.

Me mira distinto, desde cierta admiración o

159

desde cierto orgullo. Me gusta cómo me mira. Dice que sólo le da mucha lástima que Lin Jang Xian no pueda ver mis progresos, que está convencido de que, allá arriba, mi padre está tan contento como lo está él acá abajo.

Lo abrazo.

Le doy un montón de besos ruidosos en las mejillas.

Y le agradezco infinitamente por haberme casi obligado a hacer este viaje. Los chinos somos muy voluntariosos, afirma, es una posibilidad que por nada del mundo puedes perder. Ni yo tampoco, agrega en medio de una sonrisa. También los chinos somos muy prácticos. ¿Quién, si no lo hago yo, puede abrigar a mi hijo tan lejos como está?

Entonces, le pregunto a boca de jarro:

¿Cómo somos los chinos?

¿Yo lo soy, abuelo?

Por supuesto, querida. Todos los chinos somos chinos. Con algunas cosas en común y con otras cosas que no. En común tenemos, me parece, el recuerdo de los muertos, el respeto a la familia, la obediencia a los mayores, el voluntarismo y el ser muy prácticos.

Lo lamento, pero no sé si soy del todo china, An Bo. Recuerdo a mi padre y respeto a la familia, es cierto. Sin embargo, no siempre quiero obedecer.

Su Nuam, Su Nuam, que no siempre quieras obedecer no significa que no obedezcas. Dudas tenemos todos, hasta los chinos, lo fundamental es lo que hacemos, no aquello que pensamos en el mientras tanto.

¿Soy una china, entonces, aunque no entienda, en la fiesta de año nuevo, que el humo de los fuegos artificiales nos comunica con el cielo?

Lo sos. Y muy bonita, por cierto. Hay muchos otros chinos que tampoco creen que el humo lleve nuestros deseos y nuestros ruegos hacia las alturas del cielo. Muchos. Y lo que hacen, esos otros chinos, es ser tan prácticos como el resto de los chinos: disfrutan del espectáculo de luces y de ruidos. Como vos, exactamente como vos, mi niña.

Gracias, abuelo.

Es mi escasa respuesta.

Y ya no sé si esta última conversación no es acaso todavía más hermosa que aquella que tenemos antes, durante el día de ayer, sentados sobre el mismo tronco a orillas del río. Tengo ganas de llevarme conmigo este bendito tronco a Suzhou.

La última cena es gloriosa. Me llenan de elogios por mi actuación, por mi osadía, por mi actitud. Me llenan de cumplidos. Están todos completa-

161

mente borrachos, hasta el mismísimo Lin An Bo. Por eso, enseguida después de los postres con sus interminables brindis, me despido de ellos y subo a la habitación. Tengo ganas de escribir todo lo que llevo escrito hasta aquí. Y también tengo ganas de recibir a solas una llamada.

Pero no.

Solamente escribo.

Llega Lin An Bo, se acuesta a dormir su borrachera y la llamada que espero nunca llega.

Acabamos de despegar y mi abuelo ya está profundamente dormido. Toma justo antes de partir dos de las pastillas que le da Lin Shi para el viaje. Le pido que tome una sola, le aseguro que con una pastilla le va a alcanzar, pero el muy porfiado toma dos. También duermen el resto de mis compañeros.

Es mejor así, dentro de todo.

No me voy a sentir observada mientras escribo lo poco que me falta escribir.

Anoche, después de cerrar el cuaderno y después de comenzar a dar infinitas vueltas entre las sábanas sin poder dormir, suena el teléfono. Es el padre de Yamila. Está en la plaza de Glew. Parece borracho, también. Como lo están, aparentemen-

163

te, todos los hombres esa noche. Lo único que alcanzo a entender de lo mucho que dice es que me envía, enseguida, un video para que lo mire.

Al rato, lo recibo.

La casa de los muchachos vecinos al supermercado se incendia. Las llamas llegan hasta muy por encima de los techos.

Luego, me vuelve a llamar. Me avisa que pasa por el hotel, durante la mañana, a cobrarse los dólares que le debo. Le pido que venga antes de las diez y media, le explico que a esa hora salimos hacia el aeropuerto, que el vuelo parte a las dos de la tarde y que debemos estar allí tres horas antes.

Entonces corta.

Sin despedirse, como siempre.

Y yo no quedo muy convencida de que entienda del todo bien aquello que le digo.

Pero entiende. Muy a pesar de la borrachera, ahí está, en el hotel, esperándome, cuando bajo a desayunar. Nos apartamos hacia un rincón, le entrego un sobre con los ochocientos cincuenta dólares y él me entrega, a cambio, un diario de la mañana. Me dice que busque en la sección de policiales, que allí está publicada la noticia que me interesa, y yo le digo que muchas gracias por todo, que estoy apurada, que todavía tengo que preparar las valijas, que saludos a Yamila.

Se marcha.

De inmediato, borro del teléfono el video que me envía la noche anterior y me dirijo hacia donde están los demás desayunando.

Devuelvo el celular al gerente. Me preguntan, parecen muy ansiosos por saber de qué se trata la visita que acabo de tener. Es el padre de una amiga de la escuela, les cuento sin darle la menor importancia al encuentro. Y ya no preguntan más. Ni siquiera Lin An Bo.

Por suerte.

Estoy un poco nerviosa, prefiero el silencio. Tengo miedo de que si hablo se me noten demasiado los nervios.

El orden del mundo vuelve a su sitio. La justicia triunfa por sobre la injusticia. El humo llega por fin, con ganas, hasta el cielo. No estoy feliz con el asunto, no lo disfruto. Pero, al menos, puedo comunicarme con el más allá al igual que cualquier otra mujer china.

Estoy en paz.

Soy yo.

Y todavía tengo quinientos dólares en el bolsillo para comprarme un lindo par de zapatos de tacos bien altos cuando dentro de unas horas el avión aterrice en Londres.

ÍNDICE